ABC de Rachel de Queiroz

Lilian Fontes

ABC de RACHEL DE QUEIROZ

JOSÉ OLYMPIO
EDITORA
Rio de Janeiro, 2012

© Lilian Fontes

Reservam-se os direitos desta edição à
EDITORA JOSÉ OLYMPIO LTDA.
Rua Argentina, 171 – 2º andar – São Cristóvão
20921-380 – Rio de Janeiro, RJ – República Federativa do Brasil
Tel.: (21) 2585-2060
Printed in Brazil / Impresso no Brasil

Atendimento direto ao leitor:
mdireto@record.com.br
Tel.: (21) 2585-2002

ISBN 978-85-03-01111-2

Capa: HYBRIS DESIGN/ISABELA PERROTTA
Fotos: ARQUIVO DE FAMÍLIA

Livro revisado segundo o novo Acordo Ortográfico da Língua Portuguesa.

CIP-BRASIL. CATALOGAÇÃO-NA-FONTE
SINDICATO NACIONAL DOS EDITORES DE LIVROS, RJ

	Fontes, Lilian, 1958-
F766a	ABC de Rachel de Queiroz / Lilian Fontes. – Rio de Janeiro: José Olympio, 2012.
	21 cm
	Inclui bibliografia
	ISBN 978-85-03-01111-2
	1. Queiroz, Rachel de, 1910-2003. 2. Escritoras brasileiras – Biografia. I. Título.
12-6672	CDD: 928.699
	CDU: 929:821.134.3(81)

Sumário

Introdução 7

ABC de Rachel de Queiroz 11

Cronologia 209

Referências bibliográficas 219

Um ABC é um poema típico da literatura de cordel nordestina, composto de estrofes que se iniciam sucessivamente pelas letras do alfabeto, de A a Z. Em geral celebram feitos extraordinários ou fazem homenagem a personagens relevantes.

Este livro pretende ser um resumo da vida e da carreira literária de Rachel de Queiroz, com a discussão de alguns dos temas principais de sua obra.

É, assim, uma porta de entrada para ajudar o leitor iniciante.

Introdução

Dando seguimento à coleção iniciada pela editora José Olympio, com o objetivo de abordar os fatos marcantes da vida de um escritor, seguindo um critério baseado nos ABCs da literatura de cordel, a mim foi conferida a incumbência de criar o *ABC de Rachel de Queiroz*.

Fazia tempo que não tinha contato com sua obra, a última vez foi em 1992, quando lançado o romance *Memorial de Maria Moura*. Na ocasião, lembro-me de ter ficado estupefata com a narrativa polifônica escolhida pela escritora. Nordeste não era um tema recorrente nos romances da época, e foi uma experiência fantástica penetrar naquele universo tão genuinamente brasileiro, havia tempos afastado de mim.

O Quinze, seu primeiro romance, junto com *Vidas secas*, de Graciliano Ramos, *Menino de engenho*, de José Lins do Rego, *Os Corumbas* e *Rua do Siriri*, de Amando Fontes, fizeram parte do meu rol de leituras da adolescência. Mais tarde, *Os sertões*, de Euclides da Cunha, *Casa-grande & senzala*, de Gilberto Freyre, e a obra-prima de Guimarães Rosa, *Grande sertão: Veredas* fecharam com chave de ouro esse período de contato com a literatura decorrente do sertão nordestino.

Anos se passaram e me vi novamente em contato com o tema, nesta pesquisa sobre a vida e a obra de Rachel de Queiroz. Com todos os seus livros em cima de minha mesa, iniciei o percurso pelos romances de forma cronológica e, à medida que ia avançando, mais aumentava o meu encantamento pelo seu universo literário.

O passo seguinte foi ler as crônicas — escreveu cerca de duas mil —, histórias, relatos, ora de acontecimentos referentes a determinada época do Brasil e do mundo, ora com perfis de figuras humanas dos mais variados tipos, colhidos a partir de suas vivências desde a infância na fazenda do Junco, no Ceará, às ocorrências no Rio de Janeiro, onde viveu até sua morte.

Para escrever sobre a vida e a obra de Rachel de Queiroz, me impus uma premissa: não me estender muito, pois ela me recriminaria se eu não tivesse o cuidado em ser curta e precisa, como sempre buscou ser em sua literatura. Por outro lado, me senti envolvida pelo afeto e sensibilidade que emanaram de *Tantos anos*, o livro de memórias escrito a quatro mãos com a irmã Maria Luiza. O grande desafio era, portanto, encontrar o tom exato entre a prosa enxuta de sua ficção e a delicadeza do texto de reminiscências.

Confesso a minha dificuldade em encontrar letras que correspondessem numa ordem cronológica aos fatos de sua vida. Fui e voltei várias vezes, escolhas que pareciam óbvias foram substituídas por outras e cheguei à conclusão de que, no caso de Rachel, que dentro da atividade literária atuou em campos diversos, em alguns momentos eu teria de optar por relatar os fatos sem me preocupar com a coerência do tempo e dos acontecimentos.

Baseando-me na literatura de cordel, optei por intitular a letra *A*, Academia, iniciando o livro com a história de sua eleição como a primeira mulher a ocupar uma cadeira na Academia Brasileira de Letras, imaginando que qualquer repentista partiria desse fato para começar a contar-cantar sua história de vida.

Meus agradecimentos a Maria Luiza de Queiroz por tão frutíferas conversas e pelos livros emprestados, às contribuições de Arnaldo Niskier, Flávio Salek, Heloisa Buarque de Hollanda, Nélida Pinõn e Maria Amélia Mello.

A a

Academia Brasileira de Letras

Em 4 de novembro de 1977, acontecia uma grande festa no prédio Petit Trianon, sede da Academia Brasileira de Letras, na rua Presidente Wilson, centro da cidade do Rio de Janeiro. A posse estava marcada para as nove da noite. Em oitenta anos de atividades, a casa de Machado de Assis nunca tivera uma festa tão popular: escritores e artistas de vários estados do Brasil, repórteres de renomados jornais e revistas vinham participar da cerimônia de posse da escritora Rachel de Queiroz. Considerada um marco histórico na vida da Academia, a celebração era notícia em todos os jornais. "Rachel de Queiroz abriu os caminhos e conseguiu furar o bloqueio discriminatório da ilustre casa de Machado de Assis", dizia um deles. O dia estava chuvoso, mas, mesmo assim, até a escola de samba Portela fez questão de comparecer para prestar homenagem à primeira mulher a ocupar uma cadeira naquela instituição.

A conquista de uma cadeira acadêmica exige que o candidato tenha reconhecida produção literária, já que um dos objetivos da Academia Brasileira de

Letras é proteger e preservar o patrimônio linguístico e literário nacionais.

Em 1977, Rachel de Queiroz tinha cinco romances publicados, duas peças de teatro, obras infantis, oito livros de crônicas, além de escrever em diversos jornais e revistas. Traduzida em inglês, francês, alemão, polonês e japonês, havia recebido, em 1957, o prêmio Machado de Assis, da própria Academia, pelo conjunto de sua obra. A sua posse era uma vitória, a justa resposta ao seu mérito, embora a escritora não tivesse almejado esse caminho, como declarou:

> Eu nunca tive a ideia de entrar para a Academia Brasileira de Letras. [...] sempre tive a convicção íntima de que, na vida artística ou literária, a única coisa que importa é o que você escreve [...] Para mim, a arte é só o corpo a corpo entre você e a criação.
>
> (*Tantos anos,* p. 233)

A primeira mulher a vestir o fardão da Academia nasceu no Ceará, em Fortaleza, em 17 de novembro de 1910. Primeira filha de Daniel de Queiroz e Clotilde Franklin de Queiroz, a casa onde nascera, na rua Senador Pompeu, número 86, pertencia a sua avó materna, Maria de Macedo Lima, a "dona Miliquinha", prima do escritor, também cearense, José de Alencar, considerado o principal romancista do Romantismo brasileiro. Descendente de uma estirpe de mulheres cearenses de qualidades morais e intelectuais, destacando-se a firmeza, o vigor e a determinação, Rachel de Queiroz marcará a literatura brasileira por ser uma das precursoras do movimento regionalista da década de 1930. Vivera cercada de um universo onde a aridez do sertão, o fogão a lenha, o pé de moleque, o queijo coalho, as leituras colhidas da vasta biblioteca dos pais, a rede onde dormia e sonhava a nutriram de ingredientes fecundos que pulsam nas palavras e vírgulas dos romances e crônicas que escreveu.

★ ★ ★

Essa cearense de baixa estatura e olhos míopes irá vencer todas as geografias, tornando-se pioneira em diversos campos, especialmente na literatura, ao lançar seu primeiro romance, *O Quinze*, com apenas 19 anos. O livro surpreendeu, não só por ter sido escrito por uma jovem, como também por expor preocupações sociais e posições inovadoras sobre questões relativas ao posicionamento das mulheres na sociedade. "Seria realmente uma mulher? Uma garota assim fazer romance! Deve ser pseudônimo de homem barbado", diria intrigado o escritor Graciliano Ramos.

Mas era, sim, uma mulher. A mesma mulher que, quarenta anos depois, desafiaria os estatutos da Academia Brasileira de Letras. Até então, a instituição só aceitava entre seus pares "os brasileiros natos", repudiando o ingresso das mulheres.

Sua candidatura se deu por conspiração dos amigos Adonias Filho, Aurélio Buarque de Holanda

Ferreira, Afonso Arinos e Otávio de Faria, já membros da Academia, e que participavam das reuniões do Conselho Federal de Cultura, do qual Rachel também fazia parte. Nas quintas-feiras, após esses encontros, alguns iam a pé para o Petit Trianon, querendo que as conversas continuassem no chá da Academia.

Ao longo dos anos, algumas mulheres tentaram vencer a resistência e passar a integrar a instituição: Júlia Lopes de Almeida (1862-1934), romancista, teve seu nome cogitado na época da fundação da casa, 1897; Amélia Beviláqua (1863-1946) inscreveu-se para ocupar a vaga de Alfredo Pujol, em 1930; Dinah Silveira de Queiroz (1911-1982) fez sua tentativa em 1954. Nenhuma obteve sucesso. Entretanto, apesar de haver ainda muitos radicalmente contra, o grupo dos amigos de Rachel se dispôs a começar uma campanha para que fosse votado o ingresso de mulheres na ABL. A luta foi árdua. Por fim, em abril de 1976, com o voto favorável de 25 acadêmicos, cai por terra um tabu de oitenta anos, e a candidatura de mulheres para a Academia é aprovada.

Com esse álibi na mão, os amigos insistiram que Rachel escrevesse a carta comunicando sua intenção de candidatar-se a ocupar a cadeira número 5, que estava vaga. Os argumentos foram convincentes. Rachel, enfim, lançou sua candidatura, mas abriu mão de realizar as visitas aos acadêmicos, como era de praxe. Procurava assim afastar-se do clima de intriga que se supunha existir entre os que eram a favor e os que eram contra a presença das mulheres. Viajou, então, para a sua fazenda, Não Me Deixes, no Ceará, voltando ao Rio de Janeiro uma semana antes da eleição. Na sua ausência, os amigos Adonias Filho, Otávio de Farias e Odylo Costa, filho, trabalharam arduamente por sua vitória. Além deles, votaram abertamente em Rachel: Francisco de Assis Barbosa, Herberto Sales, José Cândido de Carvalho, Mauro Mota, Miguel Reale, Austregésilo de Athayde e Lyra Tavares. Foram 23 votos contra os 15 recebidos pelo seu opositor, Pontes de Miranda.

Essa personalidade de sangue nordestino desafiaria ainda mais os acadêmicos com uma questão inusitada. Durante alguns meses, eles discutiram um tema inédito nos salões da Academia: qual seria o traje mais adequado para Rachel usar no dia da posse? À semelhança da Academia Francesa, os imortais brasileiros usam o fardão, uma vestimenta verde-escura com folhas bordadas a ouro, tendo como complemento um chapéu de veludo negro com plumas brancas e uma espada. Mas, para a posse de uma mulher, o que seria mais indicado? "Redingotes trespassados, *tailleur* com alamares e dragonas deixaram a escritora apavorada", conta a estilista Silvia Souza Dantas, que conseguiu fornecer a versão final, "uma veste simples como Rachel, na cor verde acadêmico, longa, reta, decote em V e mangas boca de sino" (*A roupa de Rachel, um estudo sem importância*, p. 14).

Até se chegar a isso, a discussão ganhou os jornais. Quando, por fim, a decisão foi tomada, escreveu

Ibrahim Sued, em *O Globo*, de 23 de outubro: "as mulheres já estão dando lucro à Academia, pois um fardão custa 60 mil cruzeiros e o vestido saiu apenas por 11. De leve" (*A roupa de Rachel, um estudo sem importância*, p. 15).

No dia seguinte, a nova acadêmica estava em todos os jornais. O *Última Hora* ostentava a manchete: "Posse de Rachel vira comício e o público derrota o protocolo."

Rachel foi a quinta ocupante da cadeira número 5, que teve como predecessores Raimundo Correia, Oswaldo Cruz, Aluísio de Castro e Cândido Mota Filho. Emocionada por ocupar a cadeira de Raimundo Correia, poeta que lera na infância, o seu discurso de posse inicia prestando-lhe uma homenagem:

> No oitão branco, batido de luar, da velha casa de fazenda, devagarinho vai-se abrindo uma janela, a que dá para o pequeno jardim fechado, onde há cravos, bogaris e uma laranjeira. A menina-moça, mais menina do que moça, debruça-se ao peitoril e procura a lua com os olhos. Logo a descobre, tão clara, daria para ler uma carta!
>
> A menina assesta na lua, diretamente no disco da lua, os seus olhos que já são míopes [...]. E, de olhos fitos na lua, silenciosamente, mal movendo os lábios, vai murmurando para si uma reza, uma encantação — um poema? Um poema que é reza e encantação. Vai murmurando como se rezasse para a lua, e na verdade está rezando para a lua:

> ... Astro dos loucos, sol da demência
> Vara, noctâmbula aparição!
> Quantos, bebendo-te a refulgência,
> Quantos por isso, sol da demência,
> Lua dos loucos, loucos estão!
>
> Já reconhecestes na encantação rezada pela moça o poema inesquecível. E na adolescente que se tenta fazer bruxa daquele culto lunar, permiti que vos apresente a velha senhora de hoje tentando desvendar os seu laços antigos com o poema e com o altíssimo poeta.

E ela continua, homenageando os outros predecessores (a íntegra do discurso está disponível no *site* da ABL).

A conquista de uma cadeira na ABL por uma mulher tornava-se um símbolo. Num momento em que o movimento feminista vivia uma expressiva expansão e institucionalização no Brasil e no mundo, houve uma tentativa de aproveitá-lo como "bandeira" pelo Movimento da Libertação da Mulher. Rachel não aprovou a ideia. A grande contribuição da mais nova imortal a esse movimento seria continuar fiel a seu ofício, construindo personagens que, por si só, respondiam aos anseios do feminismo. Mulheres fortes, revolucionárias para o seu tempo, trazendo à tona temas como profissionalização feminina, liberdade sexual, insubordinação ao casamento e mesmo aborto. "Eu não entrei para a ABL por ser mulher. Entrei porque, independentemente disso, tenho uma obra.

Tenho amigos queridos aqui dentro. Quase todos os meus amigos são homens, eu não confio muito nas mulheres", declarou. Um verdadeiro choque no movimento feminista.

Três ministros vieram para a posse. O reconhecimento de sua eleição pelos militares suscitou comentários ferinos dos que eram contrários à candidatura de Rachel. Ela repudiou-os firmemente, frisando que o grupo da Academia que a apoiara não agira assim por influência do regime militar. Os que realmente trabalharam para a sua eleição foram os seus amigos.

Rachel logo se tornou uma frequentadora assídua do chá das cinco nas quintas-feiras. Os acadêmicos a acolheram, sentindo o gosto de terem a graça, a convivência deleitosa daquela presença feminina. Sua simpatia conquistava a todos, inclusive os funcionários da casa. Dentre estes, destacava-se Zezé, que em pouco tempo se tornou sua amiga, inclusive, costumava visitá-la em casa, chegando a acompanhar Rachel em algumas viagens.

Mas o grande amigo, e isso Rachel de Queiroz nunca escondeu, foi Austregésilo de Athayde, presidente da Academia durante anos. Quando, no dia da eleição, a vitória da escritora foi consumada, mesmo doente, ele fez questão de ir à sua residência cumprimentá-la. "Viria até de padiola", disse aos jornalistas presentes. "Eu amo ela!"

Rachel de Queiroz abriu as portas da Academia às escritoras brasileiras. Três anos depois, em 1980, seria a vez de Dinah Silveira de Queiroz se juntar à amiga e prima — Dinah era casada com Narcélio de Queiroz — nas reuniões e nos chás da Academia.

Em 1985, a candidatura de Lygia Fagundes Telles é recebida com entusiasmo. Em 1989, Nélida Piñon é escolhida como a quinta ocupante da cadeira número 30, e, em 1996, é eleita como a primeira presidente mulher da Academia, cargo que ocupou até 1997.

Em 2001, Zélia Gattai passa a ocupar a cadeira número 23, no lugar deixado por seu marido, Jorge Amado, e em 2003 seria a vez de Ana Maria Machado, consagrada pelo seu trabalho na literatura infantojuvenil.

B b

Brasil, 1910

Rachel de Queiroz nasceu em 1910, um ano significativo para a história política do país. Até então, as elites sociais mantinham o poder, organizando-se em torno de um ideal de permanência e imutabilidade, propondo intervenções militares nos estados, com o intuito de destituir governadores e substituí-los por aqueles que eram nomeados pelo próprio presidente da República. Fortes oligarquias políticas atuavam em seus estados e eram sustentadas no poder pela reeleição de membros da mesma família: no Amazonas, os Néri; em Pernambuco, os Rosa e Silva; em Alagoas, os Malta; no Ceará, os Accioly.

A candidatura vitoriosa do marechal Hermes da Fonseca — oitavo presidente da Primeira República — nas eleições presidenciais de março de 1910 viria modificar essa herança dos tempos do Império. O Nordeste tornou-se então o principal alvo das intervenções do governo federal, e no Ceará ocorreu a primeira grave crise política do governo do novo presidente. Antônio Pinto Nogueira Accioly, que se mantinha na presidência do estado havia mais de vinte anos, é por fim deposto, retirado do palácio à força. Em seu lugar, assume o coronel Franco Rabelo. Com o objetivo de enfraquecer outras lideranças regionais do estado, Rabelo, com as tropas da Polícia Militar do Ceará, invade a cidade de Juazeiro, para destituir o governo paralelo do Padre Cícero, vice-presidente do governo deposto. O episódio deflagrou a Revolta do Juazeiro

Rachel cresceu ouvindo as histórias deste Brasil. Seu pai, Daniel de Queiroz, bacharel em direito, era juiz substituto no município de Quixadá, a 170 quilômetros de Fortaleza. Ele e seus irmãos, também advogados, apoiavam o Padre Cícero, que os chamava afetuosamente de "os doutores de Quixadá". Rachel lembrava-se das visitas do dr. Floro Bartolomeu da Costa, médico a quem Padre Cícero delegara a parte civil de seu poder. Sentada no colo do dr. Floro, ela ouvia o nome do padre alimentando as conversas dele com seu pai: um repertório onde se ouvia sobre gente que sarava ferida tocando em medalha benta com a efígie do padre, cegos que recuperavam a visão, milagres que concediam ao Padre Cícero o título de santo.

Padre Cícero se tornara uma figura lendária no Nordeste. Nascido em 24 de março de 1844, em Crato, no interior do Ceará, aos 28 anos de idade deram-lhe o cargo de vigário em uma antiga fazenda chamada Juazeiro, onde já havia um aglomerado de casas que servia à região rural em torno. De estatura baixa, pele branca, cabelos louros, batina surrada, voz bem-empostada, olhos azuis "límpidos e místicos" — como descreveria mais tarde Rachel de Queiroz —, com as pregações e o carisma foi conquistando o povo da localidade. "Socorrer quem padece, aluminar quem pede luz, perdoar quem erra..." era a sua prédica. Pouco a pouco, o povoado cresceu e, no lugar da capela, o padre e seu povo ergueram a igreja de Nossa Senhora das Dores. Seu incansável trabalho pastoral conquistou a simpatia e confiança da população, mas atraiu também desafetos. Foi acusado, tanto pela ortodoxia da Igreja Católica quanto pelas elites governamentais, de gerar fanatismo, proteger cangaceiros, explorar a credulidade sertaneja. Santo ou louco, o fato é que a figura de Padre Cícero se tornou uma forte liderança na região, não só religiosa como também política.

Quando as tropas comandadas por Franco Rabelo cercaram Juazeiro para tentar destituí-lo, a população reagiu. Armados com paus pontiagudos servindo como lanças, homens, mulheres e crianças acorreram em defesa do *Padim Padre Ciço*, conseguindo que as tropas se retirassem. Apavorados, os soldados arrancavam as fardas e corriam pelos matagais e campos de ceroulas, para não serem identificados. Em retaliação, dr. Floro Bartolomeu da Costa encheu os trens com suas tropas e seguiu para Fortaleza a fim de depor Franco Rabelo. A revolta popular foi tão violenta que o presidente

Hermes da Fonseca recuou rapidamente, retirando seu interventor do Ceará.

Juazeiro ganhara a guerra. O povo nordestino mostrava a sua raça.

* * *

A infância da escritora foi marcada por essas histórias de resistência política do povo do Ceará. Na época, era comum se ouvir as crianças cantarem uma cantiga popular, feita para a deposição do velho Accioly: "Vamos ao palácio / arrancar à unha o velho Accioly / e o Carneiro da Cunha." "Eu, muito pequena ainda, achava uma crueldade horrível arrancar as unhas dos coitados dos velhos", conta Rachel em *Tantos anos* (p. 250), seu livro de memórias.

Nos anos 1910, enquanto as forças antagônicas buscavam formas de se manter no poder, a família Queiroz enfrentava grandes mudanças. Em 1913, dr. Daniel, após fixar residência em Fortaleza ao ser nomeado promotor, resolve abandonar a carreira jurídica e dedicar-se à plantação de arroz. Mudam-se todos para a fazenda do Junco, de propriedade da família, localizada a dezoito quilômetros do município de Quixadá. É lá que um mundo novo vem ocupar o imaginário da pequena Rachel. A casa-grande, o canto do galo, o balanço da rede e a fala mansa dos homens da terra a alinhavar suas histórias de onças compõem esse universo. O sonho de seu pai, no entanto, não dura muito tempo. A grande seca de 1915 destrói sua plantação e quase todo o gado.

A região do Nordeste, desde o período colonial, era assolada pela seca. Longos períodos sem chuva e o sol escaldante afetavam as plantações, faziam o gado definhar, levando muitas famílias à miséria. Entre 1887 e 1889, o estado do Ceará perdera 500 mil pessoas. Em visita à região, o imperador Pedro II criou a Comissão da Seca. Seguindo modelos estrangeiros, construiu-se o açude Cedro, em Quixadá. No entanto, a seca de 1915 veio mostrar que esses esforços não foram suficientes. O açude não conseguiu suprir a escassez de água diante da longa estiagem.

Foi decretado estado de calamidade, e Rachel, ainda muito menina, acompanhava a família nas idas a Fortaleza, visitar os terrenos onde se recolhiam os retirantes, as famílias vítimas da seca. A perda da produção agrícola e da pecuária, a incapacidade de acumular água, o abandono da casa forçava o agricultor a pensar em migrar para outro estado. A família cearense era tomada pelo sentimento de crise e perda.

Dona Clotilde, mãe de Rachel, angustiada com a situação, consegue por fim convencer o marido a se mudarem para o Rio. Lá poderiam contar com a ajuda de seu tio Eusébio, que era juiz e controlava uma banca de advocacia. Seria uma boa oportunidade para dr. Daniel retomar a carreira jurídica.

Em julho de 1917, a família Queiroz chega à capital do país. Depois de passar algum tempo numa pensão no Catete, alugam uma casa de vila, perto da rua Conde de Bonfim. O Rio, desde o governo de Rodrigues Alves (1902-1906), passara a ser uma cidade moderna. A abertura da avenida Central — inspirada no traçado do urbanismo francês do barão de Haussmann —, a inauguração de obras, como o Theatro Municipal e a Biblioteca Nacional, ofereciam o cenário perfeito para o desfile de uma nova sociedade. Passeios pelas avenidas, lojas, teatros, cinema, a atmosfera cosmopolita impunham um novo comportamento a Rachel, com apenas 6 anos. Seus olhos de menina brilhavam diante das vitrines de cristal que exibiam artigos parisienses. Ela se encantava com o desfile das mulheres bem-vestidas, dos homens de gravata, colete e chapéu. No dia 7 de setembro, assistiu à parada militar em comemoração à Independência. Fascinada, viu o presidente Venceslau Brás passar numa carruagem aberta vestido de fraque, tirando a cartola em cumprimento ao público que o aplaudia com entusiasmo.

Mas a estada no Rio de Janeiro não durou muito. Em novembro de 1917, o pai aceita um convite para assumir o cargo de juiz em Belém, no Pará. Mais uma viagem — uma longa viagem. Nessa época, a família Queiroz estava maior. Rachel já tinha dois irmãos: Roberto e Flávio.

Principal porto de exportação da borracha na segunda metade do século XIX, Belém se tornara a metrópole da Amazônia. Os lucros obtidos com o negócio se refletiram em embelezamento e urbanização da cidade. Ao mesmo tempo, florescia uma intensa vida cultural. Associações culturais, jornais e partidos políticos foram criados. Era frequente a visita de naturalistas estrangeiros que vinham pesquisar a rica fauna e flora da região.

Dona Clotilde e dr. Daniel puderam desfrutar desse próspero momento vivido pela cidade, mas sentiam falta de suas raízes. Em 1919, decidem voltar para Fortaleza, para a chácara Alagadiço, que pertencia à família. A partir de então, se fixam no Ceará, a terra de sangue de Rachel.

C c

Ceará, o começo

Como em outros estados da região Nordeste do país, a população do Ceará resultou da miscigenação de colonizadores europeus, indígenas catequizados e negros e mulatos que viviam como trabalhadores livres ou escravos. A capital, Fortaleza, às margens do rio Ceará, conheceu o primeiro fluxo real de crescimento na condição de porto escoadouro do comércio algodoeiro.

A família Queiroz fazia parte de uma elite latifundiária, composta de donos de terras cuja atividade econômica baseava-se na agricultura e na pecuária. Desde o século XIX, essa elite que se formava tinha a preocupação de trazer para o Ceará as ideias e as construções modernas que vinham sendo feitas no Sul do país sob a inspiração de modelos europeus.

A Biblioteca Pública, o Liceu do Ceará, a Santa Casa de Misericórdia, a Cadeia Pública e o Instituto do Ceará estão entre as instituições que tornaram a Fortaleza do século XIX um importante centro cultural do Nordeste. Paralelamente, também florescia o movimento literário cearense. Em 1892, surge a Padaria Espiritual, uma agremiação cultural formada por jovens escritores, pintores e músicos. Irônicos e irreverentes, críticos severos da sociedade burguesa, eles tinham ideias inovadoras, como um nacionalismo radical, mais tarde retomado pelo Modernismo. Toda essa efervescência cultural que marca o final do século XIX se refletirá na criação da Academia Cearense de Letras, em agosto de 1894.

Em 1910, inaugura-se em Fortaleza o Theatro José de Alencar, momento marcante na vida cultural cearense. Com estrutura de ferro importada da Escócia e cortinas pintadas com cenas inspiradas no romance *Iracema*, o belo prédio logo passou a integrar o roteiro das melhores peças e concertos exibidos no país.

A infância de Rachel transcorreu entre Fortaleza e a fazenda do Junco, vivendo o paralelo entre a cidade e o sertão, entre os privilégios da vida urbana e a paisagem árida e pobre do interior cearense. O Junco, trecho do município de Quixadá, será o verdadeiro "lugar" de Rachel, seu grande berço. A casa, construída pelo tio-bisavô, Miguel de Francisco de Queiroz, era feita de taipa com o madeirame de aroeira, as varandas amarradas com tiras de couro cru e ficava localizada no alto, de onde se avistava a estação de trem. No estilo casa-grande e senzala, os escravos que serviam a casa dormiam na própria fazenda e os que serviam no campo tinham família e moravam em casas separadas, com galinheiro, roçado e chiqueiro de criação. Em frente à casa, o patio, com uns quinhentos metros em cada face, sem árvores, onde se juntava o gado nos dias de vaquejada.

No Ceará, as fazendas eram muito mais modestas, porque a região era mais pobre. Nós vivíamos só do pastoreio, a gente não tinha grande agricultura, só uma pequena agricultura de manutenção. Era o gado que sustentava as famílias. Tanto que nem se chamava Casa-Grande. Era a fazenda. Falava-se: "Vou pra fazenda", a fazenda no sentido de casa de residência. Não tínhamos o palaciado das Casas-Grandes. As nossas casas eram rústicas, mais modestas.

(entrevista realizada por Hermes Rodrigues Nery em 17/11/1990)

A fazenda do Junco era tipicamente nordestina, com matas de caatinga, campos de capim-panasco, riachos e um açude. Os açudes eram construídos como um meio de se armazenar água para os sofridos tempos de seca. "Fazenda sem açude é um casco morto, sem gado, sem moradores, sem plantio", dizia Rachel.

Contrariando a vontade do pai, que não queria que fosse desacompanhada, Rachel gostava de ir sozinha, em sua roupa de banho, mergulhar na água cor de ferrugem do açude, sadia e doce como água de chuva. Pegava uma tora de mulungu à margem e avançava naquele mundo de água que, para uma menina de 10 anos, parecia um mar. *Vinte mil léguas submarinas*, de Júlio Verne, lido apaixonadamente pela escritora na sua meninice, era vivido ali, nas águas do açude. "Eu me imaginava em plena *Vinte mil léguas submarinas*. Ao meu tronco de mulungu eu chamava de *Nautilus* e eu era o capitão Nemo." Rachel dava nomes aos peixes, mergulhava para pegar conchas de intãs e procurar pérolas dentro delas. E era o *Nautilus* quem a salvava dos bichos imaginários que viviam no açude. "O açude do Junco me alimentou a imaginação durante toda a adolescência" (*Tantos anos*, p. 98).

★ ★ ★

Algodão, milho, feijão e mandioca faziam parte da produção da fazenda, assim como a criação de gado. No interior da casa, um fogão a gás, uma máquina de fazer café com fogo e álcool, comida fresca: panelas de feijão, peixe, galinha e muita carne de sol. O pão vinha de Quixadá todos os dias. Como não havia geladeira, fazia-se muito bolo e uma variedade de doces que ficavam sobre a mesa para a família e os visitantes.

> [...] nunca houve pedaço de terra que tenha sido mais preso ao meu coração do que aquele trecho bravio do município de Quixadá, a cento e oitenta quilômetros do oceano Atlântico.
>
> (*Tantos anos*, p. 186)

Quando a família de Rachel de Queiroz retorna ao Ceará, em 1919, são tempos difíceis. Ainda sofrendo as consequências da seca de 1915, seu pai se vê forçado a vender a chácara do Alagadiço, em Fortaleza, para saldar algumas dívidas. Aluga então uma casa em Guaramiranga, cidade da serra de Baturité, lugar onde as famílias residentes em Fortaleza passavam as férias de verão. Conhecida como "a cidade das flores", Guaramiranga mantinha uma intensa vida cultural. Grupos de intelectuais promoviam programas culturais, teatro amador e recitais. Um tio de Rachel, tio Chichio, casado com tia Adelaide, com quem tivera treze filhos, adquirira um sobrado, uma edificação colonial, com doze salas. O sobradão, como era chamado. Casa cheia, sempre alegre, era lá que Rachel passava todos os verões, num convívio intenso com tios e tias, primas e primos. Vozinha Rachel participava, tia Beatriz era solteira, tinha as primas Cléa, Maria, Alice, Áurea, já adultas, e Nilda e Lúcia, meninas como Rachel.

Foi em Guaramiranga que Rachel, aos 11 anos, sentiu o gosto das fantasias amorosas. Seu primo Arcelino, doze anos mais velho, nos seus 23 anos, era muito bonito, "disputadíssimo pelas moças". Vestindo brim, botas e chapelão, ele a atraía pelo seu estilo rústico. Aos 15 anos, Celino, como Rachel o chamava, abandonara os estudos para assumir a direção das fazendas e dos sítios. Dirigindo seu carro, um Ford bigode, era ele quem ia a Fortaleza buscar Rachel para levá-la para a serra. "E conheci

Celino, que se tornou meu galã, meu paradigma, a pessoa por quem fui tomada de maior admiração e fascinação" (*Tantos anos*, p. 21-22).

★ ★ ★

O universo criado na infância é irremovível. As paisagens, as figuras humanas, cheiros e cores vão se instalando na memória, tornando impossível dissociá-las da nossa própria existência.

Percorrendo a sua obra literária, reconheceremos as transposições dessa sua vivência retratada em alguns perfis de seus personagens.

D d

Dr. Daniel e dona Clotilde

Clotilde Franklin tinha 18 anos quando se casou, em janeiro de 1910, com Daniel de Queiroz, então com 24. Ela, filha de Rufino Franklin de Lima e Maria Luiza Alencar Saboia; ele, filho de Arcelino de Queiroz Lima e Rachel Alves de Lima.

Era um casal bonito. Dona Clotilde era morena, esguia, elegante no vestir. Dr. Daniel, rosto largo, pequeno bigode, olhar penetrante. Uma união que refletia o microcosmo das famílias rurais nordestinas da época: pessoas letradas, sintonizadas com os conceitos da modernização, preocupadas com o desenvolvimento do novo Brasil que despontava depois da proclamação da República.

Dr. Daniel aproveitava o tempo na fazenda do Junco para se dedicar à educação de Rachel. Ensinou-a a nadar, a montar, a ler. Ele costumava dizer: "Não vai pro colégio coisa alguma, vamos embora pra fazenda. Você pega um papelzinho assinado e vamos embora que você vai aprender outras coisas." Com 5 anos, sob a orientação do pai, Rachel leu *Ubirajara*, o romance de José de Alencar. Apesar de não ter entendido a história, o livro tornou-se um marco em sua vida — começava ali sua paixão pela leitura.

Na fazenda do Junco, todas as noites a cena se repetia. Enquanto dr. Daniel estava na rede do alpendre, fumando seu cigarro, os caboclos iam chegando para conversar. Eram histórias de céu, da seca, de bichos e homens da terra, de suas crendices e superstições, contadas na língua singela do sertanejo. Deitada em outra rede, Rachel deixava-se embalar pela voz firme e aveludada do pai a falar sobre guerras, reis de Portugal e França, pequenas lições de história e geografia que a menina ia absorvendo.

> Embora mamãe talvez fosse mais inteligente, especificamente mais letrada, com melhor gosto literário do que papai, ele teve mais influência sobre mim durante a minha infância: no Pará, na serra, no Ceará. Minha primeira formação foi obra mais dele do que dela.
>
> (*Tantos anos*, p. 101)

À noite, depois da refeição feita em fogão a lenha, chegava a hora de a família assistir aos "dramas" que Rachel produzia. Eram peças de teatro que ela criava, obrigando o irmão Roberto a representar, vestindo nele calças do pai. As cenas provocavam boas risadas. Cúmplice de todas as horas, dr. Daniel colaborava com os letreiros, montava a cortina e ficava responsável por abri-la e fechá-la nos entreatos.

"E eu era dessas filhas idólatras, achava papai insuperável", confessa em *Tantos anos* (p. 100).

Dona Clotilde, descendente da estirpe das matriarcas cearenses, exercia grande liderança no universo doméstico. Exímia cozinheira, cuidava para que não faltasse à mesa uma fartura de bolos e doces, no que era ajudada por Antônia, Mãe Titó. Empregada da família desde os 18 anos — quando Roberto tinha apenas três —, Mãe Titó cuidara de todos que vieram depois dele. Descendente de índios, aquela morena de personalidade forte era babá, governanta, o braço direito de dona Clotilde. Considerava a patroa a moça mais bonita da Terra, alguém especial que gerara aqueles filhos para ela criar.

Quando veio a gravidez de Luciano, o quarto filho, dona Clotilde decidiu matricular Rachel numa escola. Com 8 anos de idade, a menina nunca frequentara um colégio. Foram ela e Roberto, então com 6 anos, para a escola pública de dona Maria José.

Aos 10 anos, atendendo aos insistentes pedidos da avó Rachel, ela foi matriculada no curso normal do colégio Imaculada Conceição, dirigido por freiras francesas. Vozinha Rachel não se conformava de a neta, naquela idade, ainda não ter recebido uma educação religiosa.

Ela se recorda:

> Uma vez, no colégio de freiras, eu estava lendo um desses livrinhos de moça, água com açúcar, de um autor francês. Um livrinho de bolso que contava a história de uma moça que assiste a um

casal se beijando e fica toda enlevada, e depois ela vai encontrar com aquele mesmo camarada, e por aí afora... Mamãe chegou e eu estava lendo o livro (eu tinha uns 12 anos), ela olhou assim e disse: "Ah, minha filha! Não fique lendo esses livrinhos que só tratam de sexo e nunca saem disto. Já que você quer ler mesmo, tome, leia este que você vai gostar." E ela me deu *A cidade e as serras*, do Eça de Queiroz. "Vai ler isto que é bom", continuou ela.

Preocupada com a formação cultural dos filhos, dona Clotilde encomendava revistas e livros do exterior, recebidos pelo correio. Era ela quem orientava a filha em suas leituras. Eça de Queiroz, Balzac, Zola, Dostoiévski, Tolstói e os brasileiros: José de Alencar, Aloísio de Azevedo, Machado de Assis — poesia e romances chegaram cedo às mãos da escritora. Adolescente, havia sessões de leitura em sua casa, onde tanto sua mãe quanto seu pai liam em voz alta para ela. Os trechos mais picantes eles disfarçadamente pulavam.

* * *

Em 1927, dr. Daniel comprou, em Fortaleza, o sítio do Pici. Ficava a uns quatro quilômetros da avenida João Pessoa, que ligava o bairro de Porangaba ao centro de Fortaleza. A casa era grande, salas largas, rodeada de alpendres. Na parte de trás havia árvores, coqueiros e grandes mangueiras com redes amarradas, um recanto para a leitura. Um açude completava a paisagem com suas águas que mudavam de tonalidade a cada hora do dia.

Foi um período muito feliz. A essa altura, a família Queiroz já estava completa, com os três filhos homens, Roberto, Flávio e Luciano, e as duas meninas, Rachel e Maria Luiza, esta última, que nascera exatamente dezesseis anos após a irmã, ainda muito pequena. A eles veio juntar-se Felipe, irmão mais novo de dona Clotilde.

As noites no Pici eram animadas. Seu Litrê, o professor de violão, costumava aparecer trazendo seu banjo. Em noites de lua cheia chegava o pessoal de Porangaba para fazer serenatas.

Nessa época, Rachel começou a colaborar no jornal *O Ceará*. Em frente ao asilo dos alienados, vizinho ao sítio, pegava o trem e seguia para a cidade.

O convite para que ela escrevesse para o jornal viera de Júlio de Matos Ibiapina, diretor e redator de *O Ceará*. Ateu, oposicionista ferrenho, Júlio era amigo do pai de Rachel, companheiro de luta nos tempos da política contra os "rabelistas". Ele mantinha no jornal um suplemento literário que promoveu a eleição da primeira Rainha dos Estudantes do Ceará. Foi eleita Suzana de Alencar Guimarães, que escrevia para o jornal um tipo de literatura feminina. Na ousadia de seus 16 anos, Rachel resolveu escrever uma carta para *O Ceará*, ironizando o concurso, sob o pseudônimo de Rita de Queluz.

> [...] escrevi uma carta aberta para ela, fazendo brincadeiras, rainha em tempo de república!, enfim, gozações ingênuas, mas gozações. Foi a primeira coisa que escrevi [...].
>
> (*Tantos anos*, p. 27)

A carta gerou inúmeros comentários. Alguns diziam que fora escrita por um rapaz que assinara com um pseudônimo feminino; outros garantiam que o autor era Daniel de Queiroz, ou então Clotilde, pais de Rachel. Mas o poeta e jornalista Jader de Carvalho, que já a conhecia, ao ver as iniciais "R.Q.", de Rita de Queluz, opinou: "Isso é coisa da Rachelzinha, filha do Daniel."

O diretor de *O Ceará* então lhe enviou uma carta convidando-a para ir a Fortaleza conhecê-lo e ser colaboradora efetiva do jornal.

> Mandei logo umas croniquinhas e, na minha primeira ida a Fortaleza, fui visitar o jornal. Ibiapina me recebeu muito bem e me entregou a página literária do *Ceará*.
>
> (*Tantos anos*, p. 28)

Formava-se uma jornalista, título que a escritora insistia em apontar como sua verdadeira profissão. Ganhando 100 mil-réis por mês, Rachel passa a organizar a página de literatura, a selecionar os colaboradores e a escrever crônicas.

O trabalho profissional da escrita passa a fazer parte do seu cotidiano. Sua formação escolar havia se encerrado em 1925, aos 15 anos, ao finalizar o curso normal no colégio Imaculada Conceição.

O jornal lhe deu muito: disciplina, familiaridade com a linguagem impressa, brevidade. Do jornalista se exige uma linguagem precisa, voltada para a informação. Escreve-se pensando em chegar com rapidez e eficiência ao leitor. Escrevendo crônicas para *O Ceará*, Rachel se aprimorou no exercício da observação. O material da crônica é o dia a dia: ambientes, situações banais do cotidiano, pessoas comuns.

Criando esse vínculo com a escrita de jornal, ela escreve o folhetim *A história de um nome*, em que o nome Rachel passa por várias épocas, até os dias atuais, seguindo, assim, uma tendência que se originara na França, onde a fórmula do folhetim-romance abriu espaço nos jornais para a ficção. No Brasil, o gênero teve como precursor José de Alencar, que também fez sua estreia literária como cronista-folhetinista escrevendo no *Correio Mercantil*, na seção "Ao correr da pena".

A relação do escritor — seja ele romancista ou poeta — com o jornal é muito antiga. Toda a boa literatura do final do século XIX e início do século XX fez escala em jornais. No Brasil, Machado de Assis, João do Rio — o primeiro repórter a unir a literatura ao jornalismo —, Rubem Braga, Carlos Drummond de Andrade e tantos outros são prova disso. Rachel de Queiroz veio juntar-se a esse grupo de respeitados escritores que encontrou no jornalismo um meio de obter um contato mais próximo e assíduo com o leitor.

Não restou sequer uma cópia de *História de um nome*, classificado por Rachel como "uma droga". No entanto, essa não foi a opinião de figuras ilustres da época, como Beni Carvalho, homem culto, vice-governador do Ceará, e Antônio Sales, romancista e poeta, que fizeram questão de conhecê-la, criando, assim, um laço de amizade com a jovem escritora. Entusiasmados, logo a integraram às rodas literárias de Fortaleza, tornando-se íntimos da família e passando a frequentar o sítio do Pici.

Amigos de Flávio e de Luciano juntaram-se aos dela, levando à casa dos Queiroz um clima animado. Nas mesas fartas que dona Clotilde e Mãe Titó não se cansavam de preparar: bandejas de frutas, bolos de milho, queijo de coalho, jarras de cajuína.

Estreia, *O Quinze*

Em 1930, Rachel estreia na literatura brasileira, aos 19 anos, com a publicação do romance *O Quinze*.

O livro foi escrito no chão, em cadernos de colegial, a lápis, deitada de bruços no soalho da sala, junto ao lampião de querosene que dormia aceso no sítio do Pici, depois que todos haviam se recolhido. Rachel contraíra uma congestão pulmonar e estava proibida por sua mãe de ler ou de escrever depois das dez horas da noite, para que descansasse. "Eu só escrevia de noite, a nossa casa tinha muita criança... Eu era magrinha. Minha mãe tinha medo de que eu ficasse tísica."

Quando o livro ficou pronto, Rachel mostrou-o aos seus pais, e a mãe levou um susto. "Você podia ter ficado tuberculosa. Por que não deixei pelo menos você escrever sentada... ah, você no chão e tal...", disse-lhe (entrevista realizada por Hermes Rodrigues Nery, em 17/11/1990).

* * *

O cenário do romance é a região de Quixadá, no período da seca de 1915, onde se situam as fazendas de dona Inácia, avó de Conceição, a protagonista, a do Capitão, pai de seu primo Vicente, e de dona Maroca, patroa de Chico Bento.

A narrativa se desenvolve em dois planos. No primeiro, a marcha trágica e penosa do vaqueiro Chico Bento com sua mulher, Corlunina, e seus cinco filhos. Diante da seca, ele se vê obrigado a abandonar a fazenda onde trabalha e tenta ir para o Amazonas extrair borracha. Nesse percurso, que fazem a pé, um filho morre por envenenamento, e o outro foge com um grupo de comboieiros de cachaça. Desesperançado, sem nada a lhes oferecer, o vaqueiro se vê impotente diante da desestruturação da família.

O outro foco do enredo é a relação afetiva entre Conceição, moça culta, com ideias um tanto avançadas sobre a condição feminina, e seu primo Vicente, rude proprietário e criador de gado. Ao longo da narrativa, o leitor vai se familiarizando com os pensamentos de Conceição, sua visão quanto à realidade do Nordeste e a camuflada paixão pelo primo Vicente.

> Ora o amor!... Essa história de amor, absoluto e incoerente, é muito difícil de achar... eu, pelo menos, nunca o vi... o que vejo, por aí, é um instinto de aproximação muito obscuro e tímido, a que a gente obedece conforme as conveniências... Aliás, não falo por mim... que eu, nem esse instinto... tenho a certeza de que nasci para viver só.
>
> (*O Quinze*, p. 155-156)

Ao final do livro, os enredos se entrelaçam. O relacionamento entre Conceição e Vicente não se concretiza, e ela decide, então, adotar um filho de Chico Bento, preenchendo o vazio da decepção amorosa.

O desfecho dado à história da personagem Conceição surpreende por sua conotação feminista. A autora, com apenas 19 anos, em seu primeiro romance começa a delinear uma trajetória que irá se configurar nos romances procedentes: personagens femininas fortes que contrariam as convenções românticas.

Quando lançou *O Quinze*, Rachel surpreendera por duas razões básicas. Primeiro, pelos traços literários específicos: uma escrita econômica, limpa, em contato com as inovações modernistas, até então ausentes nos romances regionalistas da época; e a outra novidade bastante desafiadora era o fato de ser um livro escrito por uma mulher tão jovem sobre uma personagem feminina com preocupações sociais e ideias avançadas para a época.

Nas entrelinhas de seu romance de estreia, percebe-se a transposição de ambientes, experiências, figuras de sua convivência. Vicente, o primo de Conceição, tem semelhanças com o primo Celino, primeira paixão de Rachel. A própria Conceição, com suas leituras e ideias, nos remete às vivências da moça Rachel, absorvida pelos conhecimentos que vinha adquirindo das leituras em livros da biblioteca da família. E, ainda, o Ceará, a aridez de um clima que se impõe ao destino, as dificuldades vividas por seu povo que a autora testemunhou ainda menina.

★ ★ ★

Variadas são as formas como as obras literárias articulam-se com a realidade. Inúmeras teorias sobre o romance foram elaboradas na tentativa de entender a relação entre a ficção e a realidade. Profissionais das letras e da psicologia se esforçam em decifrar os caminhos que levam o escritor a criar universos e personagens. São eles fruto da razão, da imaginação ou do inconsciente?

Na opinião do escritor Ariano Suassuna:

> As ideias me vêm da maneira mais inesperada. Às vezes, vêm ligadas a um determinado personagem que eu conheço ou conheci; às vezes é mais um ambiente [...] Então, essas coisas normalmente são governadas pela intuição e pela imaginação, não pela razão. Agora, quando a gente vai transformar isso em obra literária, aí a razão colabora, mas sobre o material fornecido por aquilo que os especialistas em estética chamam "a vida pré-consciente do intelecto" [...] Na minha opinião, a criação literária se processa a partir dessa "vida pré-consciente do intelecto". Agora, na elaboração da obra, o intelecto colabora.
>
> (entrevista à revista *Continente Multicultural*)

De todo modo, o discurso ficcional constrói uma fantasia onde se organiza um universo possível que seria apreendido pelo leitor como realidade. Ao elaborar o enredo de *O Quinze*, Rachel sabia que, ao construir um mundo pela ficção, estaria criando analogias com o mundo vivido. Ela queria falar da seca, do povo nordestino cuja sobrevivência estava atrelada à difícil espera pela chuva.

Como observa Marcel Proust no *Em busca do tempo perdido*:

> Somente pela arte podemos sair de nós mesmos, saber o que um outro vê desse universo que não é o mesmo que o nosso [...] Graças à arte, em vez de ver um único mundo, o nosso, vemo-lo multiplicar-se [...] (p. 142).

Quando terminou de escrever o original e mostrou-o aos pais, eles decidiram lhe emprestar 2 contos de réis para a edição da obra. *O Quinze* foi publicado em agosto de 1930, impresso pelo Estabelecimento Graphico Urânia, com uma tiragem de mil exemplares.

As primeiras críticas publicadas em jornais cearenses não foram muito favoráveis. Diziam que o romance fora impresso em papel inferior e chegavam a afirmar que não havia sido escrito por ela e sim por seu pai, Daniel de Queiroz, ou pelo escritor Beni Carvalho.

Rachel ficou "meio ressabiada", mas o jornalista carioca Renato Viana, que conhecera no jornal *O Ceará*, e o mestre Antônio Sales a estimularam, dando-lhe uma lista de endereços de jornalistas e críticos no Rio de Janeiro, para os quais enviou o livro.

No Rio, a recepção foi calorosa. Por meio de Hyder Corrêa Lima, *O Quinze* chega às mãos de Graça Aranha, escritor e diplomata brasileiro, que lhe escreve entusiasmado. Augusto Frederico Schmidt publica em seu jornal, *As Novidades Literárias, Artísticas e Científicas*, um artigo sob o título "A Revelação", elogiando a emotividade passada no texto, a "tão pungente e amarga tristeza". E ainda ressaltava: "livro verdadeiramente brasileiro, livro corrente e claro, livro que consegue manter a forma no mesmo diapasão com o assunto, na mesma simplicidade que os liga admiravelmente." Críticos como Alceu Amoroso Lima e Artur Mota também fizeram análises elogiosas, considerando Rachel um fenômeno literário.

O escritor paulista Mário de Andrade, um dos líderes do movimento modernista, que defendia a depuração da linguagem, escreve uma resenha atribuindo nota dez a *O Quinze*. Segundo ele, os outros livros que abordavam o tema não passavam de "literatice". Em sua crítica, não poupava nem escritores renomados como Euclides da Cunha e José Américo de Almeida, que, em 1928, lançara *A bagaceira*, considerado o primeiro romance nordestino.

Ao estabelecer uma linguagem seca, antibarroca, objetiva, o romance de Rachel de Queiroz se afinava, assim, às inovações formais defendidas pelos intelectuais brasileiros de diversas áreas de expressão artística, preocupados com o ingresso do país na era modernista.

★ ★ ★

O ano de 1930 vivenciava uma atmosfera de agitação no plano da cultura. A Semana de Arte Moderna de 1922 inaugurara o movimento que preconizava uma estética mais aderente à vida moderna. Em 1926, o Congresso Regionalista do Recife, inspirado nas ideias de Gilberto Freyre, buscava não somente um projeto estético-literário para o Brasil, mas algo mais ambicioso: um projeto civilizatório, que fizesse dialogar todas as culturas regionais do país na sua diversidade.

A linguagem desenvolvida por Rachel em *O Quinze* unia o *ethos* regional do Nordeste aos novos critérios estéticos que vinham sendo desenvolvidos no Sul do país. O panorama ideal para instigar ainda mais uma personalidade movida pela curiosidade e pelo pioneirismo como era a de Rachel.

No ano seguinte, em março de 1931, o prêmio Graça Aranha, conferido pela primeira vez, contemplava Rachel de Queiroz na categoria romance. Murilo Mendes vence em poesia, e Cícero Dias, em pintura. Rachel vem ao Rio receber o prêmio.

★ ★ ★

A viagem para o Rio de Janeiro foi feita de navio. Trazia no seu espírito tamanha carga de entusiasmo; a juventude dos 20 anos, o primeiro livro e já um prêmio. Na viagem, houve uma parada em Recife, onde Rachel conhece José Auto da Cruz Oliveira, poeta bissexto, com quem faz amizade e passa a se corresponder.

No Rio, hospeda-se na casa de um tio na rua Petrópolis, em Santa Teresa, e trava forte amizade com Nazareth Prado, viúva de Graça Aranha, que lhe convida para chás e jantares em sua casa, onde compareciam pessoas das mais diversas áreas da intelectualidade brasileira.

Com seu jeito alegre, bem-humorado e sua inteligência, Rachel conseguia estabelecer conversa com homens de mais de 60 anos, que ficavam admirados com a sua precocidade. Em tom de brincadeira, diziam que *O Quinze* fora responsável pelo infarto inesperado que causara a morte de Graça Aranha, ocorrido meses antes. De fato, quando a autora fora visitar a sede da Fundação Graça Aranha, na reconstituição do gabinete do mestre, aberto sobre o braço da cadeira *bergère* onde ele costumava ler, estava o exemplar de *O Quinze*, autografado pela autora. "E os amigos me gozavam dizendo que Graça morrera da leitura...", conta a autora.

Nessa vinda ao Rio, Rachel conhece o grupo formado pelos professores Bruno Lobo e Castro Rebello, como também Adelmo Mendonça, Nise da

Silveira, Mario Magalhães e Eneida. Simpatizantes do Partido Comunista Brasileiro, eram amigos de Hyder Corrêa Lima e de Djacir Menezes, redator de *O Ceará* e ideólogo comunista, "marxizado", como dizia Rachel, a quem ela se unira por seus ideais.

F f

Filiação ao Partido Comunista

A década de 1920 no Brasil foi marcada por grande inquietação social. Desde que a Revolução Russa, deflagrada em outubro de 1917, dera início à primeira experiência comunista no mundo, as classes trabalhadoras se tornaram mais conscientes de sua posição. No Brasil, a onda de greves começou em 1917, em consequência do constante aumento de preços de alimentos, resultado da especulação dos que se aproveitavam do clima de incerteza gerado pela Primeira Guerra Mundial. A difusão das ideias marxistas estimulou o surgimento de partidos com a ideologia que vinha de Moscou em países da América Latina.

O Partido Comunista Brasileiro foi fundado em março de 1922, após um congresso realizado em Niterói, reunindo alguns operários e intelectuais do Rio de Janeiro, São Paulo, Pernambuco e Rio Grande do Sul. No Ceará, houve forte reação contra ele. Padres e a Liga Eleitoral Católica reprimiam as ideias comunistas, enquanto *O Nordeste*, jornal católico, se confrontava com *O Ceará*, que tinha a fama de ser ateu e anticlerical. O clima de discórdia instalou-se em Fortaleza.

* * *

Na época, a mocidade mais intelectualizada se via forçada a pertencer a algum movimento político. Comunista, integralista ou fascista, era preciso optar por alguma facção.

No caso de Rachel, as leituras na sua juventude de autores russos — Dostoiévski, Gorki, Tolstói — e do marxismo propriamente dito a aproximaram das ideias comunistas.

O romance *O Quinze* apresenta em seu enredo os problemas decorrentes das diferenças socioeconômicas que marcavam a sociedade brasileira. O personagem Chico Bento expõe em suas falas a consciência de pertencer a uma classe a que os privilégios não chegavam. A jovem Conceição expressa nitidamente os ideais sociais que na época eram preocupação da autora.

Ao chegar ao Rio de Janeiro, em 1931, para receber o prêmio Graça Aranha, Rachel estava inclinada a investir mais na sua atuação política. O grupo que a recebeu por indicação dos amigos jornalistas de *O Ceará* acolheu-a com entusiasmo. Durante os dois meses que passou no Rio, acompanhou o pessoal nos almoços no Reis — um restaurante simples, frequentado também pelos estudantes —, como também nas reuniões no laboratório Bruno Lobo, na rua Gonçalves Dias, onde as estratégias de funcionamento do partido eram discutidas.

Ao longo desses encontros, Rachel recebeu a incumbência de organizar o PC de Fortaleza, tendo em vista seus contatos com o grupo de simpatizantes de lá.

Um trabalho difícil. Em Fortaleza, o grupo esquerdista era formado por pessoas de muito pouca instrução, e coube a Rachel — já inscrita como membro do partido — a organização do material de propaganda e da correspondência que vinha do Rio, e a datilografia dos papéis e atas dos encontros. As reuniões, ainda clandestinas, tinham o apoio de seus pais, que permitiam que ela recebesse o pessoal no sítio do Pici.

Nessa época, Rachel trabalhava como colaboradora no jornal *O Povo*, para onde fora em 1928, a convite de seu amigo Demócrito Rocha, fundador do jornal.

Sua rotina era agitada. Morando no sítio, além de se esforçar para conciliar as atividades no jornal com as tarefas do partido, precisava arranjar tempo para a escrita do novo romance, *João Miguel*.

Em 1932, Rachel volta ao Rio, a fim de receber "palavras de ordem" e material de propaganda política. Com o clima de perseguição que imperava na época, a célula do partido que deveria contatar costumava se reunir no coreto da praça da estação do Méier. Ali chegavam de trem, fingindo-se de namorados, para não levantar qualquer suspeita. Apesar de ser das mais jovens integrantes do grupo, Rachel era muito respeitada pela forma com que manifestava suas opiniões e a seriedade com que encaminhava as orientações do partido. No entanto, os operários, que compunham a aristocracia dos grupos marxistas, não mostravam muita simpatia pelos chamados "intelectuais", provindos de outra classe social. Rachel fazia parte desse grupo e era vista por eles com desconfiança.

Na ocasião, conhece Jorge Amado e o convence a também se filiar ao partido.

Nessa viagem, Rachel trouxera os originais de seu novo romance, *João Miguel*. Preocupada com a "disciplina" do partido, consentiu que o romance fosse lido pelos dirigentes antes de submetê-lo à edição.

João Miguel é a história de um caboclo que, tomado pela bebida, assassina um sujeito e é preso. O enredo do livro se desenvolve na prisão, enfocando o assassino e a perda da liberdade. Aspectos do condicionamento social e anseios pessoais se confundem, compondo uma narrativa densa e reflexiva.

Um mês depois, Rachel é convocada para uma reunião. Foi levada a um velho armazém desativado no cais do porto. No fundo do grande galpão, uma mesa comprida junto à qual estavam sentados três homens. Rachel acomodou-se num banquinho, a cerca de três metros da mesa. Um dos homens iniciou a conversa dizendo que acabara de chegar da União Soviética com ordens expressas de conter as infrações dos intelectuais. Informou que havia lido cuidadosamente *João Miguel* e chegara à conclusão de que a autora teria de fazer importantes modificações para que pudesse ser publicado. Eles não concordavam com o fato de um operário ter assassinado outro operário, de o "coronel" ser uma figura simpática e sugeriram que ela fizesse o operário matar o coronel. "Se não fizer essas modificações básicas, não poderemos permitir que a companheira publique o seu romance", concluiu ele.

Sua reação foi imediata, como conta em *Tantos anos*:

> Levantei-me devagar, do meu banco. Cheguei à mesa, estendi a mão e pedi os originais para que pudesse fazer as modificações exigidas. O homem, severo, me entregou o rolo. Eu olhei para trás e vi que estava aberta a porta do galpão, a sua única saída. E, em vez de voltar para o banco, cheguei até o meio da sala, virei-me para a mesa e disse em voz alta e calma: "Eu não reconheço nos companheiros condições literárias para opinarem sobre a minha obra. Não vou fazer correção nenhuma. E passar bem!" (p. 45).

Por sorte, ao chegar à calçada, viu um bonde que ia dando partida. Atirou-se ao balaústre e subiu. Durante a viagem, tomou a decisão de abandonar o partido. Sua fidelidade à literatura estava acima de qualquer questão ideológica.

A partir desse dia, não fez mais nenhum contato com eles, mas no primeiro número do *A Classe*

Operária (órgão oficial do Partido Comunista), publicado logo após esse episódio, a manchete dizia, em letras garrafais, que Rachel fora "irradiada" do partido por ideologia fascista, trotskista e inimiga do proletariado.

* * *

Os originais de *João Miguel* acabaram nas mãos do poeta Augusto Frederico Schmidt, que começava sua carreira como editor. Responsável pela publicação de *O país do carnaval*, de Jorge Amado, a Schmidt Editora investia no lançamento de jovens escritores. Paralelamente à editora, na rua do Ouvidor, Schmidt mantinha também a Livraria Católica, que logo se estabeleceu como ponto de encontro dos artistas. Marques Rebelo, José Geraldo Vieira, Cornélio Pena, Armando Fontes, Lúcio Cardoso, todos editados por Schmidt, estavam entre os seus fiéis frequentadores.

A viagem ao Rio foi marcada também pela conquista de novos amigos, como Carlos Echenique, que lhe foi apresentado por Jorge Amado. Echenique seria personagem de um episódio inesperado que encerrou essa estada carioca de Rachel. Numa tarde, depois de já haver rompido com o partido, ela foi a um comício em frente ao Theatro Municipal. A revolução de 1932, em São Paulo, causava reflexos no Rio e havia um clima de tensão no ar. Em meio ao evento, Rachel é presa e levada para a sede da prisão, na rua da

Relação. O amigo Echenique acompanhou-a de longe e, preocupado, passou a noite na calçada em frente à polícia, à sua espera. Pela manhã, Echenique foi pedir ajuda ao jurista Eusébio de Queiroz Lima, tio de Rachel. Amigo do ministro da Justiça, ele foi informado por esse de que, por conta da revolução paulista, estavam prendendo todos os que eram de esquerda. Não era aconselhável que Rachel continuasse na capital. No dia seguinte, tio Eusébio dirigiu-se à rua da Relação e assumiu, perante a polícia, a responsabilidade de enviar a sobrinha de volta ao Ceará. Rachel passara aquela noite numa cela com duas prostitutas.

Tio Eusébio levou-a pessoalmente ao cais e fez com que ela embarcasse no *Almirante Jaceguai*, deixando-a sob a responsabilidade do comandante do navio. Uma carta do chefe de polícia ordenava que ela fosse entregue diretamente a seu pai, em Fortaleza. Quando o navio fez uma parada em Maceió, Rachel tentou se comunicar com José Auto, que conhecera em 1931. No entanto, para evitar que ele fosse vê-la a bordo, a polícia o prendera.

* * *

O relacionamento de Rachel e José Auto fora se fortalecendo ao longo daqueles meses, alimentado por uma intensa troca de correspondência. Pouco a pouco, foram descobrindo as afinidades que os uniam. Zé Auto era poeta, também amante da literatura e simpatizante das ideias comunistas. Pernambucano de nascimento, morava em Maceió, terra de seu pai.

Ao final de 1932, em 14 de dezembro, eles se casam. Rachel usava um vestido de linho branco, bordado pela mãe, e levava um buquê de flores de laranjeira, colhidas no jardim. A cerimônia, celebrada por um juiz, realizou-se no sítio do Pici. Logo após o casamento, Zé Auto, funcionário do Banco do Brasil, fora nomeado para uma agência em Itabuna, na Bahia, para onde se mudaram. "Eu nunca tinha ouvido falar em Itabuna. Ilhéus já conhecia através de Jorge Amado e outros baianos, mas Itabuna, não", conta em seu livro de memórias *Tantos anos* (p. 56).

Foi em Itabuna que engravidou de quem viria a ser a sua única filha, Clotilde, nome dado em homenagem à mãe. Também foi em Itabuna que conheceu Carmelita, uma negra alta, forte que fora trabalhar em sua casa, e quem a acolhia em seus desmaios da gravidez: segurava-a no colo, molhava suas têmporas com vinagre, servia-lhe chazinhos. Ainda em Itabuna, Rachel conheceu Lena Weber, uma jovem judia suíça de quem se tornou amiga. Liberada sexualmente, Lena surpreendeu Rachel revelando-lhe os novos costumes europeus. Acostumada com o moralismo severo cultivado na sociedade brasileira da época, certamente esse contato abriu sua imaginação para a criação de algumas de suas personagens femininas.

Clotildinha nasceu em Fortaleza no sítio de seus pais, o sítio do Pici. Rachel fazia questão de ter o filho com uma parteira e chamaram dona Júlia, a parteira da família. Clotildinha nasceu prematura, muito pequena. No entanto, como Rachel tinha muito leite, com mês e meio a criança estava forte e saudável, podendo fazer a viagem para o Rio de Janeiro, para onde Zé Auto havia sido transferido.

Moraram apenas três meses na rua do Curvelo, em Santa Teresa, quando houve nova transferência, agora para São Paulo. Na capital paulista, ainda motivados pelas ideias marxistas, Rachel e o marido se aliaram a um grupo de trotskistas. As reuniões, no apartamento de Lívio Xavier, eram frequentadas por Mário Pedrosa, Aristides Lobo, Plínio Melo e Arnaldo Pedroso Horta. Entre uma e outra discussão política, tomavam chope no Bar Franciscano, na esquina da avenida São João, e voltavam enrolados em grossos casacos para se protegerem da garoa fina da cidade. "Todos salvando o mundo", costumava dizer Rachel.

Um dia, bateu à porta do apartamento de Lívio um inspetor de polícia à procura do grupo, com mandado de prisão por serem considerados comunistas. Lívio mostrou-lhe exemplares do jornal clandestino *A Classe Operária*, onde eram qualificados como social-fascistas, e conseguiu convencê-lo a não levá-los. No entanto, meses depois, ele voltou dizendo ter outras informações e dessa vez não houve qualquer negociação. Lívio, por ser deficiente físico, e Rachel, por estar amamentando Clotilde, puderam permanecer em casa. Os outros não conseguiram escapar e ficaram presos por um mês.

Rachel sentia-se muito feliz em São Paulo. Dava aulas particulares à noite no Sindicato dos Professores de Ensino Livre e fazia traduções para a Atena Editora. "Tinha a minha filhinha e tomava conta dela o tempo todo." No entanto, no final de 1934, embora não fosse militante, Zé Auto voltou a ser preso, dessa vez por 15 dias. Revoltado, pediu para ser transferido para Fortaleza.

De volta à sua terra, Rachel procurou manter a atividade política. Integrante da Frente Única do Partido Socialista, recebera ordens de se candidatar a deputada e participava com entusiasmo dos comícios. Apesar de boa votação, Rachel não chegou a ser eleita. Pouco depois, nova transferência de Zé Auto levava a família para Maceió.

G g

Grupo de amigos, Turma de Maceió

Nos anos 1930, Maceió exalava cultura. O imponente Teatro Deodoro e os cineteatros que exibiam os primeiros filmes sonoros tornavam a capital de Alagoas um centro importante do Nordeste. Embalados por toda aquela agitação cultural, ali se reunia um grupo de jovens intelectuais da época — Aurélio Buarque de Holanda, Alberto Passos Guimarães, Valdemar Cavalcanti, Jorge de Lima, Aloysio Branco, Graciliano Ramos, Carlos Paurílio, Raul Lima, Diegues Junior e José Lins do Rego —, que se autodenominavam a Academia dos Dez Unidos, uma bem-humorada paródia à Academia Alagoana de Letras.

Ao chegarem a Maceió, Rachel e Zé Auto se juntaram a essa turma. Os encontros aconteciam no Bar Central, em frente ao Relógio Oficial. Regadas a café, cigarros e a cachaça, bebida preferida de Graciliano Ramos, as discussões sobre política e literatura estendiam-se até a noite. "Éramos todos curiosidade e perplexidade. Queríamos ver o que estava acontecendo e o que iria acontecer, não em

Maceió, nem em Alagoas, mas no Brasil e no mundo", recordaria Valdemar Cavalcanti, décadas depois.

O assunto dominante era o declínio do movimento modernista. Havia certa resistência ao grupo de 1922, pois eles se consideravam os precursores de uma nova estética, apontando a literatura surgida no Nordeste como "seu filhote". Graciliano era um dos que mais reagiam a essa postura dos modernistas. Pessoa reservada, de poucas palavras, vinte anos mais velho do que a maioria do grupo, quando lhe perguntavam sua opinião sobre o movimento, respondia: "Sempre achei aquilo uma tapeação desonesta. Salvo raríssimas exceções, os modernistas brasileiros eram uns cabotinos" (*República das Letras: entrevista com 20 grandes escritores brasileiros*, p. 202). José Lins do Rego era outro que rechaçava qualquer vinculação com aquela "meia dúzia de rapazes inteligentes e lidos em francês". ("Espécie de história literária." Em: *O cravo de Mozart é eterno: crônicas e ensaios*, p. 42.)

De fato, o ciclo do romance nordestino, iniciado em 1930, imprimira uma nova linha àquela propagada pela Semana de 1922. O Nordeste já tinha uma tradição literária de reflexão crítica sobre suas diferenças em relação aos intelectuais e políticos de outras regiões do país. A paisagem árida, as características climáticas adversas criavam um condicionamento trágico no destino dos habitantes da região, o que naturalmente se refletia nas obras literárias aí produzidas. Nomes como Franklin Távora e Sílvio

Romero alimentaram essa tradição ao longo de anos. Na década de 1930, jovens escritores, sintonizados e sensibilizados com os problemas da seca, não escaparam a essa temática. "Nós não tínhamos a intenção de fazer romance no sentido social", sublinharia Rachel. "O que fazíamos era romance-documento, romance-testemunho."

Contaminada por um universo onde os problemas sociais eram gritantes, a literatura nordestina revela uma preocupação com os traços psicológicos do homem da terra. Em 1932, José Lins do Rego imprime, por conta própria, dois mil exemplares de seu primeiro romance, *Menino de engenho*; em 1933, sai *Caetés*, de Graciliano Ramos. Nesse mesmo ano, Jorge Amado lança *Cacau*, baseado na vida dos trabalhadores das fazendas de cacau do sul da Bahia. Também em 1933, é publicado o romance *Os Corumbas*, de Amando Fontes, história de uma família de retirantes que vai tentar a vida numa fábrica na capital. O livro de Fontes é aclamado como "um dos raros romances autenticamente proletários da ficção brasileira", segundo Hélio Pólvora.

Numa análise acurada dessa questão, observa o crítico Antonio Candido:

> A grande descoberta que a classe média alfabetizada estava fazendo era do próprio povo que vivia a seu lado; estávamos aprendendo, através da literatura, a respeitar e identificar o camarada da fazenda, o rachador de lenha de pé no chão, porque

> naquele tempo a maior parte do brasileiro andava sem sapato. Essa literatura nos ensinava a dar certo *status* de dignidade humana a essa gente.
>
> (*Graciliano Ramos*, p. 426)

Se o cientista social observa fenômenos e os conceitua num nível elevado de abstração, o romancista aborda a realidade social em sua profundidade humana, a partir da observação de dados primários. Como defende Joel Rufino dos Santos:

> A literatura é a única história do pobre — assim como a música popular, o enredo da escola de samba, a arquitetura e a decoração dos mocambos, o artesanato artístico, o futebol-arte, e a literatura oral — porque o institui como sujeito desejante.
>
> (*Épuras do social — como podem os intelectuais trabalhar para os pobres*, p. 350)

Os romancistas do Nordeste das décadas de 1930 e 1940 irão cumprir esse papel. Jorge Amado, modestamente, diria que seu verdadeiro trabalho consistia em observar pessoas e não em explicar a sociedade.

Essas questões eram debatidas nas mesas do Bar Central. Graciliano, depois de uns goles de cachaça, se soltava. Os amigos o provocavam, fazendo-o desatar a falar, principalmente de literatura. Jorge Amado, ao ler seu livro *Caetés*, encantado com o talento do escritor alagoano, decide viajar para Maceió, só para conhecê-lo.

No meio de tantos homens, Rachel sobressaía como a única mulher. "Era muito escandaloso, porque naquela época mulher não ia a bar. E olha que eu só tinha 24 anos e estava sempre acompanhada de meu marido", conta a escritora (*O Velho Graça*, p. 94).

Os amigos a respeitavam. Suas opiniões sempre relevantes os levavam a ponderar nas crises inevitáveis que ocorrem ao criador, no período da realização de um livro. Como foi o caso de Graciliano Ramos quando escrevia o seu romance *Angústia* — considerado por Antonio Candido seu livro tecnicamente mais complexo. Rachel, vendo-o desanimar, não o deixou em paz. "De vez em quando me dizia desaforos por não me resolver a meter a cara no *Angústia*", recorda-se o escritor.

Em carta à sua mulher Heloisa, em 22 de março de 1935, Graciliano confessa: "Julgo que continuarei o *Angústia*, que a Rachel acha excelente, aquela bandida. Chegou a convencer-me de que eu devia continuar a história abandonada."

E continuou, mas ainda sob o efeito das dúvidas e inseguranças que acometem o escritor. Certo dia, Rachel recebe um telefonema de Heloisa. Nervosa, ela conta que o marido, num acesso alucinatório, jogara os originais de *Angústia* no lixo. Decidida, Rachel corre à sua casa "arretada" como uma boa nordestina. Dá-lhe uma grande bronca, indo salvar os papéis numa cesta no quintal, em meio a restos de frutas e legumes.

José Lins do Rego, o *enjant terrible* do grupo, ao saber da história, divertia-se dizendo que Graciliano havia forjado a situação para chamar a atenção dos amigos. "Era uma molecagem do Zé Lins", garantia Rachel.

Na Turma de Maceió, uma figura se destacava: Aurélio Buarque de Holanda. Embora ainda não fosse dicionarista, era um filólogo rigoroso e supervisionava os livros de todos:

> Quando a gente acabava de escrever, tinha uma briga enorme com ele. Era o que chamávamos de a "matança das vírgulas" porque ele exigia que colocássemos as vírgulas nos lugares certos. Os barbarismos mais selvagens, Aurélio conseguia evitar, mas sempre com brigas. Às vezes salvávamos alguma coisa, como começar frases com pronomes indiretos. Isto Aurélio já aceitava. Não é à toa que, como lexicógrafo, foi um dos mais avançados do país, no sentido de assumir e permitir o coloquial, estimulando-nos a criar com brasilidade. A nossa geração, aproveitando as destruições da Semana de Arte Moderna, encontrou o terreno limpo e pudemos escrever como queríamos.
>
> (*O Velho Graça*, p. 95)

Mas as discussões no Bar Central não se limitavam à literatura. Com as tensões políticas no Brasil e no mundo, o pacto com as elites costurado por Getúlio Vargas, assegurando um Estado forte, atiçava os ânimos. Na Turma de Maceió, eram todos praticamente antifascistas e anticomunistas. Apenas três pessoas mantinham algum vínculo com o comunismo: Alberto Passos Guimarães, secretário regional do PCB, Rachel de Queiroz e Zé Auto, ligados aos trotskistas. Os demais, segundo a escritora, "eram quase todos cor-de-rosa, isto é, esquerdizantes que não chegavam a ser vermelhos".

A vida em Maceió afinava com o espírito da escritora. Uma atmosfera efervescente, amigos fiéis, troca de ideias políticas e literárias. Mas, subitamente, um acontecimento trágico irá tirá-la de lá. Sua filha Clotildinha, depois de uma febre alta, contraiu uma meningite "que em vinte e quatro dias roubou minha filhinha", como lembra, em seus relatos, Rachel de Queiroz.

Foi um período arrasador na vida da escritora. E como se não bastasse, três meses depois dessa morte, seu irmão Flávio, com apenas 18 anos, morre de uma septicemia causada por uma espinha no rosto. Sua mãe custou a se recuperar. A caçula Maria Luiza estava com 8 anos. Dona Clotilde não saía, perdera a alegria, "era como se vivesse num vácuo", recorda-se Rachel.

Zé Auto consegue então uma transferência para Fortaleza, e Rachel vai morar com a mãe no sítio do Pici. Ela precisou criar forças para ajudar no equilíbrio da família. No momento em que sua mãe encontrava-se tão fragilizada, sua presença era fundamental para a irmã caçula. Rachel e Zé Auto passaram uns tempos no sítio, antes de alugarem uma casa em Fortaleza.

E nesse período, a política do país também sofria um duro golpe: o autoritarismo de Getúlio Vargas ganhara força, culminando na decretação do Estado Novo, em novembro. Vargas governaria por decretos-leis, fecharia o Congresso, censuraria a imprensa e suspenderia os direitos e garantias individuais.

A repressão atingiu também os escritores. Por ordem da Sexta Região Militar de Salvador, exemplares de romances de Rachel de Queiroz, Jorge Amado, José Lins do Rego e Graciliano Ramos são queimados sob a acusação de serem subversivos. Em 1937, Rachel é detida por três meses na sala de cinema do quartel do corpo de bombeiros de Fortaleza. A princípio, ficou incomunicável, mas, por intervenção de amigos de seu pai, teve a permissão de receber a família aos domingos. "Foi uma prisão amena", conta, "os bombeiros faziam serenata para mim todas as noites".

Em meio a tantos acontecimentos, Rachel não interrompe seu trabalho literário. Durante a prisão, começa a escrever seu terceiro romance, *Caminho de pedras*.

O livro aborda a organização partidária no Ceará, as relações difíceis entre letrados e operários, os preconceitos. O centro da história, no entanto, é o engajamento da personagem Noemi na militância política e seu envolvimento com Roberto, jornalista que chega ao Ceará para ajudar na organização do partido. Mais uma vez, Rachel constrói uma personagem feminina forte, comprometida com a causa social. Além das questões políticas, Noemi ainda enfrenta o conflito de ter de optar entre manter o casamento estável, que lhe dera inclusive um filho, o "Guri", ou seguir com Roberto, sua nova paixão, desafiando as convenções sociais da época. Ela decide separar-se do marido, e, no final do romance, sofre um grande golpe: o filho Guri morre de uma febre súbita.

Esse episódio reflete a experiência dolorosa vivida pela própria Rachel. A personagem Noemi descreve assim a morte do filho:

> Um tremor violento agitava a criança, os bracinhos se sacudiam, tiritando, os olhinhos se envesgavam, a boca se torcia num esforço mudo e apavorante. Não gritava, não chorava, era como se lutasse com uma coisa estranha e invisível que a raptava do mundo.
>
> Vivos, o mundo está cheio de meninos vivos. Meninos que têm doenças, e não morrem (...) Não é lei natural, morrer; não é nada.
>
> (*Caminho de pedras*, p. 143)

O casamento com Zé Auto não conseguiu superar a perda da filha. Desavenças começaram a aflorar, mas Rachel seguia com o seu trabalho.

Por essa época, a editora José Olympio, instalada no Rio de Janeiro, se firmava como uma das grandes divulgadoras da literatura nacional. À frente dela estava o escritor sergipano Amando Fontes, grande amigo do editor. Responsável por trazer para o selo da editora nomes importantes da Turma de Maceió, Fontes, ao saber que Rachel concluía um novo romance, logo se propôs a publicá-lo. Em 1937, é lançado *Caminho de pedras,* aclamado pelos meios literário e político pela temática engajada, pela densa caracterização psicológica dos personagens. Embora não conhecesse J.O. — apelido que Gilberto Freyre atribuíra ao editor — pessoalmente, Rachel inicia com ele uma correspondência que vai tecendo a futura amizade. Numa das cartas, enviada pouco depois do lançamento do romance, ela diz em tom profético: "Ainda vou escrever grandes livros, que lhe vão render muito dinheiro."

A casa de J.O. funcionava como um polo de atração de escritores. A Turma de Maceió, pouco a pouco, debandara para o Rio. Em 1939, convicta de que seu casamento chegara ao fim, Rachel também vê na cidade uma saída. Longe da família, seria mais fácil levar adiante o doloroso processo da separação. Decide então seguir os companheiros da literatura e muda-se definitivamente para a capital do país.

H h

Histórias, lembranças

Ao chegar no Rio em 1939, Rachel traz o seu quarto livro, *As três Marias*, pronto para ser publicado pela José Olympio. O romance acompanha a trajetória de vida de três amigas que se conheceram num internato de freiras. Se nos romances anteriores Rachel mostrava uma grande preocupação social, revelava seu compromisso com o povo do Nordeste, *As três Marias* inaugura uma nova vertente em sua obra, mais calcada na análise psicológica. Narrado na primeira pessoa, pela personagem Guta, a autora provavelmente se utilizou de suas experiências, na breve passagem pelo colégio Imaculada Conceição, em Fortaleza. Aclamado pela crítica, o romance recebeu o prêmio da Sociedade Felipe D'Oliveira.

Naquela época, o Rio de Janeiro exalava modernidade. A arquitetura inspirada nos princípios do suíço Le Corbusier ocupara o centro com os prédios da Associação Brasileira de Imprensa e do Ministério da Educação. Os edifícios de dez andares erguidos na orla de Copacabana apontavam para uma nova era. O impulso industrial se refletia no ambiente jornalístico. O jornal, como uma máquina, tinha de ser colocado em movimento a cada dia com seus repórteres, diagramadores, articulistas e revisores. E o cronista precisava estar ali, produzindo um texto com prazo de entrega e espaço limitado. "Olha o fechamento, dona Rachel de Queiroz!"

Rachel morava no edifício Marcelle, na Esplanada do Castelo, onde morava Evandro Moreira Pequeno, linguista, seu colega no *Diário de Notícias*. Voltavam à noite a pé do jornal e costumavam ir tomar uma canja no Café Globo, na travessa do Ouvidor. Era tempo de guerra, e as agências de notícias, em plantão permanente, eram na Cinelândia, em cima do bar Amarelinho, e eles ficavam na calçada, sentados num banco até de madrugada, esperando os telegramas com as últimas notícias.

Rachel escrevia um artigo por semana, e foi na atividade de cronista que exerceu sua versatilidade narrativa. A crônica é considerada um gênero que flutua entre o jornalístico e o literário, uma forma híbrida em que o escritor-cronista, espreitando os fatos do dia a dia, colhe-os e, numa linguagem leve, por vezes coloquial, leva ao leitor um comentário, uma crítica, uma distração. "Eu fazia um artigo por semana: artigo, conto, o que eu quisesse", declarou Rachel (*Tantos anos,* p. 151).

Seus temas eram variados e abordavam ora vivências cotidianas, perfis de personagens típicos de sua herança sertaneja, ora reflexões sobre a situação político-social do país e do mundo. No horizonte da narratividade, o espaço do jornal lhe deu a oportunidade de experimentação em relação à sua forma de narrar. Em muitas crônicas, adotou a terminologia *História* como título. "História da velha Matilde", "História de jagunço", "Simples história do amolador de facas e tesouras" são crônicas cujo objetivo era simplesmente contar uma história. Como analisa Heloisa Buarque de Hollanda:

> Em Rachel, o gosto pela conversa, pela arte de contar, é muito dela, mas também traz um quê de regional, alguns traços calmamente culturais. [...] Todos se apresentam como casos verídicos, o que sublinha a força da narrativa que vem da experiência, do vivido. [...] A cronista Rachel de Queiroz faz lembrar um estudo de Walter Benjamin, "O narrador", no qual o autor mostra que está se perdendo o relato direto feito a partir de experiências vividas ou por via da transmissão oral. [...] Esse é o tom de Rachel, esse é o tempo narrativo de Rachel.
>
> (*Coleção Melhores Crônicas*, p. 15)

Sua escrita fluía, suas opiniões agradavam. O humor associado ao lirismo conquistava leitores.

Logo vieram convites do *Correio da Manhã*, *O Jornal* e *O Estado de S. Paulo*, os grandes jornais da época. Também passa a colaborar com *A Vanguarda Socialista*, jornal fundado pelo grupo de trotskistas do Rio. A máquina de escrever Corona, que Rachel ganhara do pai, não parava.

Depois de algum tempo no Rio, Rachel muda-se para Santa Teresa. Já estava inteiramente entrosada com a vida dos intelectuais no Rio de Janeiro. Além dos encontros na livraria José Olympio, na rua do Ouvidor, 110, frequentava a Taberna da Glória com Rubem Braga, Murilo Miranda, Carlos Lacerda, Moacyr Werneck de Castro e Manuel Bandeira, seu grande amigo e vizinho em Santa Teresa. Quem também acaba por se juntar ao grupo é o poeta Mário de Andrade. Recém-chegado de São Paulo, ele estava morando no início da rua do Catete.

Mário era considerado um verdadeiro guru. Professor de literatura, sua inteligência e generosidade apontavam para todos uma direção em seus trabalhos de escrita. Suas cartas de incentivo, verdadeiras aulas, se tornaram famosas na literatura brasileira. Rachel desfrutou desse convívio enriquecedor. Recorda-se ela:

> Mas Mário era o nosso grande professor de vida, de literatura, de arte; um homem profundamente atento e totalmente dedicado à catequese literária. [...] A mim, por exemplo, dava as maiores espinafrações porque eu não respondia às suas cartas. [...] era muito carinhoso comigo [...].
>
> (*Tantos anos*, p. 117-118, 121)

"No meio desse mulherio, você é diferente", costumava lhe dizer o poeta. E essa opinião parecia ser compartilhada por todos do grupo. A alegria juvenil, o raciocínio rápido, a elegância no tratamento tornavam Rachel uma pessoa agradável, boa de se conviver. Manuel Bandeira, José Américo de Almeida, Magalhães Júnior tornaram-se grandes amigos.

★ ★ ★

Apesar da vida social intensa, Rachel fazia questão de dizer que nunca se meteu em bebedeiras, sempre foi comedida. Entre os tantos compromissos, os domingos normalmente eram dedicados a um programa especial. Costumavam reunir-se para jantar na casa de Aníbal Machado, na rua Visconde de Pirajá, em Ipanema. No cardápio, havia geralmente um assado, regado a chope de barril, encomendado por Selma, mulher de Aníbal, no bar Zepelim, vizinho da casa.

Rachel passou a frequentar esses encontros levada por seu primo, o médico e escritor Pedro Nava. Trabalhando no hospital Carlos Chagas, Nava tinha como assistente o amigo e também médico Oyama de Macedo, e convidou-o para acompanhá-lo nas idas à casa de Aníbal Machado e aos chopes no bar Recreio, às sextas-feiras. Foi numa dessas noites que Rachel conheceu aquele que seria seu segundo marido.

No princípio, foram discretos. Fazia apenas um ano que Rachel rompera com Zé Auto, e ela não queria se expor. Oyama também havia sido casado, mas não chegara a ter filhos. Logo os dois começaram a se ver com mais frequência, não se limitando aos encontros na casa de Aníbal Machado. A discrição foi tanta que nem mesmo Nava percebeu o que estava acontecendo.

Quando resolveram morar juntos, escolheram o bairro de Laranjeiras. Os pais de Rachel, como sempre aconteceu em todos os momentos de sua vida, reagiram positivamente. Num gesto generoso, sua mãe deixou o marido convalescendo de tifo, e veio ao Rio com o filho Luciano, para enfatizar o apoio à filha. Aquela situação não era bem-vista socialmente, mas dona Clotilde não se importava. Quando seus familiares residentes no Rio a procuravam, fazia questão de dizer: "Estou na casa de Rachel e Oyama. Vocês podem me visitar aqui." Diante da atitude solidária de seus pais, ninguém tinha coragem de fazer qualquer tipo de crítica.

Oyama rapidamente se adaptou à vida de Rachel Tornou-se amigo de seus amigos e incentivava-lhe o trabalho, lendo o que ela escrevia.

* * *

No ano de 1942, o Brasil, enfim, entrou na Segunda Guerra Mundial. Cerca de uma dúzia de navios de passageiros brasileiros havia sido afundada por Hitler, e a população exigiu que o presidente Getúlio reagisse. Ele declara guerra à Alemanha e abre para os americanos "o trampolim da vitória", representado pela base aérea de Natal, no Rio Grande do Norte, de onde partiam os aviões. Rachel ouvia atentamente as notícias que chegavam pelo rádio.

"Carta aos soldados que estão combatendo"; "Cinquenta e cinco milhões de baixa" estão entre as crônicas que escreveu sobre o assunto. Em muitas delas, fazia uma corajosa defesa dos judeus, opondo-se à abominável perseguição que sofriam. Com isso, conquista a simpatia do povo israelense.

I i

Ilha do Governador, o refúgio

Em 1944, quando Rachel e Oyama decidiram morar na Ilha do Governador, o local era realmente uma ilha. A última barca da Cantareira partia às nove da noite da cidade e, até a manhã seguinte, ficavam lá, completamente isolados. O silêncio e a tranquilidade favoreciam a leitura e a escrita.

A ideia surgiu quando Oyama foi convidado a dirigir duas enfermarias de clínica médica do hospital Paulino Werneck. Com esse incentivo, não hesitaram em deixar o ar sufocante do apartamento e adquiriram uma velha casa com um terreno enorme na ilha, na rua Carlos Ilidro. Situada na Cova da Onça, uma espécie de vale entre o bairro do Cocotá e a praia do Barão, a casa foi sendo aos poucos reconstruída. Lá, Oyama pôde dar vazão à sua "alma rural", como gostava de dizer. Plantou árvores, cuidou do jardim, chegou a cultivar uma horta. "A Ilha nos deu a solidão a dois, tão necessária para um casamento", recorda-se Rachel em *Tantos anos* (p. 200).

Na crônica "Diálogos das grandezas da Ilha do Governador", de maio de 1944, o olhar sensível de Rachel registra personagens da sua nova rotina.

> Toma-se então a barca. A barca, onde há cantores e cavaquinhos, crianças de roupa de veludo, e onde o homem que vende balas e chocolate parece um mágico com o seu cesto de surpresas. E à beira da água, as gaivotas, contratadas especialmente para o domingo, executam acrobacias sensacionais. [...]
> E então, saltando na praia da Ribeira, entre meninos que vendem camarão e senhoras gordas e funcionários que iniciam uma desadorada maratona cuja meta é o bonde, nós afinal tomamos posse da Ilha.
>
> ("Diálogos das grandezas da Ilha do Governador",
> em *A donzela e a moura torta*, p. 116)

O bonde era o transporte usado para circular pela ilha: das Pixunas à Ribeira, do Jequiá ao Bacurubu, passando por Guarabu, Dendê, Cacuia, Tauá, até as praias limpas — Jardim Guanabara, praia da Bica, Pitangueiras, praia da Bandeira, praia do Barão e a Freguesia. Comprava-se peixe à porta de casa, assim como legumes frescos e frutas. O Galeão era território militar, guardado por muros altos e guaritas com homens armados.

Oyama era o doutor da Ilha. Médico em comunidade pequena possui aura de salvador e ele era muito querido, principalmente pelos frequentadores das enfermarias do hospital Paulino Werneck. O açougueiro era amigo, o leite e a manteiga chegavam sem demora. Mesmo no tempo da guerra, quando alguns gêneros eram racionados, na casa de Oyama e Rachel não faltava nada.

Aos sábados e domingos, recebiam os amigos para almoçar. Os que vinham do Rio — Pedro Nava era o mais frequente — e os da Ilha, como o dr. Edgar Pinho, pai de Lena, que se tornara muito amiga de Rachel. Por intermédio do dr. Pinho, conheceu Otávio Magalhães, seu cunhado, com quem Rachel manteve uma amizade "telefônica" com horas de discussão sobre o Brasil, o getulismo, seus problemas, seu futuro.

A vida na Ilha e o convívio com seus moradores ofereceram a Rachel um rico material literário. As crônicas escritas na época vão captar muito do imaginário dos personagens que por ali transitavam. É o que se observa neste "Retrato de um brasileiro".

> Nasceu e se criou na Ilha, onde igualmente tem residência, comprou a prestações um terreno não muito longe da praia do Dendê [...]
> De profissão é vigia noturno de um depósito. Toda tarde apanha a barca quarenta. O seu hobby é criar galos-de-briga. [...]
> Terá os seus quarenta, quarenta e poucos. Pela cor é o que se chama aqui um pardo-escuro, na minha terra seria mulato-guajuru ou mulato-roxo. Cabelo bom, feição agradável, e um dente de ouro, relíquia dos seus tempos de solteiro, quando era

garçom num botequim do mercado. Hoje, o dente de ouro é quase uma estrela isolada entre marfins ausentes. [...]

Infeliz em amores, já está na terceira esposa e parece que não se dá bem com nenhuma delas. [...]

No seu emprego parece que recebe apenas salário mínimo, afora todos os descontos. [...] e dar de comer e vestir àquela gente toda é um problema que ainda não teve solução. As cotas de carne vende-as a cinquenta centavos o cupom ao sujeito da casa nova da esquina.

Já pensou em vender também os cupons do açúcar, mas não é possível: nos dias em que o almoço escasseia, é café que sustenta a meninada.

Agora, abre-se diante dele uma perspectiva agradável: descobriu em si certo valor econômico, inutilizado nestes dez anos de ditadura: sua qualidade de eleitor.

(em *A donzela e a moura torta*, p. 74)

E ainda em "Vozes D'África":

A casa é de taipa; não tem cerca ao redor porque os donos de terra tão sem valia não se interessam por divisas. [...]

A casa é pois de pau a pique, e o telhado é de sapé [...]. O chão da casa é de barro batido, e o luxo maior é a mangueira grande do terreiro. [...]

A criançada é tanta que só pensar em contá-la dá agonia. [...] vivem ali, isolados, como num sertão longínquo; e no entanto com dois quilômetros de estrada e algumas centenas de metros de mar se alcança a igreja da Penha. Ou talvez seja melhor dizer que vivem isolados como tribo solitária na aringa nativa, em plena floresta africana. [...] Quase autossuficientes, na garra de chão em que moram, plantam milho, cana e aipim, criam galinhas crioulas, uns patos, e ainda têm um pombal [...]. De pai a filhos e netos, todo são pretos, pretíssimos, lustrosos de tão negros e bonitos. O cabelo é aquela lã, o beiço crespo de dália, as orelhas miúdas, pés e mãos de espanhola nas mulheres, corpo esguio de toureiro nos homens.

(em *A donzela e a moura torta*, p. 109)

Oyama e Rachel permaneceram na Ilha até 1965, quando nasceu Flávio, o primeiro filho de Maria Luiza. A diferença de idade entre as irmãs fazia Rachel considerá-la quase uma filha, portanto, a criança lhe dava a alegria de um primeiro neto. Nessa época, teve início a construção da ponte que ligava a Ilha ao continente "com as vantagens e desvantagens do novo *status*", decretando a morte da Ilha como ilha. Os bondes também deixaram de circular, as barcas se tornaram mais esparsas. Por trás dos muros do Galeão foram preparados terrenos para receber o Aeroporto Internacional. O desencanto com a Ilha e a vontade de estarem mais perto do "neto" fizeram com que o casal decidisse se mudar para um lugar próximo a Maria Luiza, que na época morava na rua Paissandu, no Flamengo. Mudaram-se para a rua Candido Mendes, na Glória, no edifício onde funcionava a embaixada da Suíça.

As visitas de Flávio passaram a ser frequentes. Lembra-se da garagem do edifício dos "avós", onde funcionava um elevador para carros. Da "avó", guarda sua imagem sentada à máquina de escrever trabalhando incansavelmente.

J j

J.O. — José Olympio, velho editor

José Olympio Pereira Filho, paulista de Batatais, é uma referência na trajetória literária do Brasil Numa época efervescente, num Brasil voltado para o movimento de valorização de sua identidade, J.O. foi o homem que acreditou e investiu na propagação da cultura brasileira. Como disse Paulo Rónai: "Foi o grande surto da literatura moderna no Brasil que produziu José Olympio? Foi José Olympio quem provocou esse grande surto?"

Sem dúvida, a produção intelectual que aflorou na década de 1930, abrindo caminho para uma concepção mais democrática de cultura, não teria atingido o seu extremo vigor se não houvesse o apoio de um homem com a visão e a generosidade de J.O. Se a frase de Monteiro Lobato, "Um país se faz com homens e livros", tivesse de ser corporificada, ela ficaria perfeita no corpo largo, espaçoso, de J.O.

A história de José Olympio com os livros começa aos 16 anos, na Livraria Garraux, em São Paulo, onde era o funcionário responsável por abrir e fechar caixotes, limpar as estantes e organizá-las, pelo salário de 30 mil-réis. Na Garraux, conheceu a obra de José de Alencar, Joaquim Manuel de Macedo, Machado de Assis e Eça de Queiroz, além de ter contato com nomes importantes da literatura, como Mário de Andrade, Oswald de Andrade, Menotti del Picchia, entre outros.

No final da década de 1920, começa a se interessar por livros raros, tornando-se um especialista no assunto. Em 1930, com a morte do advogado e bibliófilo Alfredo Pujol, J.O. decide comprar os 10 mil exemplares de sua biblioteca, com um empréstimo solicitado a vinte pessoas — a quem dizia em carta estar realizando um grande negócio para seu futuro. Pouco depois, adquire o acervo de outro colecionador, Estêvão de Almeida, confirmando o espírito ousado de seu sangue apostador, que tinha como lema a frase: "Não há nada como o sonho para criar o futuro." Em 1931, na rua da Quitanda, 19A, em São Paulo, instalava-se a Casa José Olympio Livraria e Editora.

Em 1935, impulsionado pelo mesmo espírito aventureiro, J.O. decide levar sua livraria para o Rio, capital da República e centro da vida cultural do país. Para se instalar na rua do Ouvidor e conquistar seu espaço na cidade, ele contou com a ajuda inestimável de grandes amigos. O primeiro deles, o maranhense Humberto de Campos, mesmo preso à cama por uma enfermidade, auxiliou-o no contato com políticos e com a imprensa. O outro, Amando Fontes, foi o responsável pela indicação de autores e estratégias de marketing, que permitiram o sucesso da editora.

J.O. e Amando Fontes deram início ao desenvolvimento do mercado editorial no Brasil. Amando era um articulador nato. Ligado à Turma de Maceió, ao perceber a insatisfação de muitos autores nordestinos com a distribuição realizada por suas editoras, sugere a J.O. uma ação ousada: procurar esses autores com propostas irrecusáveis. O primeiro a ser contatado é José Lins do Rego. J.O. se compromete a reeditar *Menino de engenho*, com uma tiragem de 5 mil exemplares. Quanto a seu novo livro, *Banguê*, seria lançado com tiragem de 10 mil. Numa época em que as tiragens convencionais variavam em torno de mil e dois mil exemplares, a proposta encantou Zé Lins. A notícia do contrato firmado para o romance *Banguê* foi divulgada por jornais e rádio, começando a formar a imagem de um novo editor: alguém que bancava tiragens bem maiores que os concorrentes, pagava os direitos autorais em dia e, além disso, trazia uma grande e incentivadora novidade — concedia adiantamento aos autores pelas obras que ainda seriam editadas.

Logo outros nomes vieram se juntar ao de Zé Lins. Graciliano Ramos, Jorge de Lima, Aurélio Buarque de Holanda e a nossa Rachel também tiveram o orgulho de ter seus romances publicados por aquela que se firmava como a melhor editora da época. Além de todo o respeito que recebiam por parte do editor, o que se refletia nas questões financeiras, também se sentiam gratificados com o esmero com que cada livro era produzido. Artistas plásticos renomados, como Santa Rosa, Poty, Caribé, Cícero Dias, Luiz Jardim, eram encarregados da concepção das capas. Todo o trabalho editorial seguia um padrão de excelência que dava mais dignidade ao texto literário que chegava às mãos do leitor. Atento a todas essas mudanças, Amando Fontes profetiza, em carta ao amigo J.O.: "Você vai ser (se tiver capital e quiser) o grande propulsionador da literatura brasileira" (*Rua do Ouvidor 110*, p. 41).

O local onde a livraria se instalou não podia ser melhor. Na rua do Ouvidor, funcionavam também o *Jornal do Commercio* e a *Gazeta de Notícias*, formando um arquipélago das informações e dos debates sobre questões prementes do país. Com seu pé-direito alto, as paredes cobertas de estantes, o escritório de J.O., que ficava nos fundos, teve de passar para o segundo andar, pois a loja se tornou ponto de encontro da intelectualidade do Rio. As discussões acaloradas se estendiam por toda a tarde e acabavam atrapalhando o trabalho administrativo da editora. A partir das três da tarde, era comum encontrar-se ali Zé Lins, Graciliano, Santa Rosa, Amando Fontes, Carlos Drummond de Andrade. Ficavam até por volta das seis, em seus debates. J.O. passou então a chamar sua livraria de "a Casa". O poeta Drummond definiu com perfeição o que havia nela de tão diferente: "tinha alma."

Ao chegar ao Rio, com 29 anos incompletos, Rachel logo se juntou ao grupo. Com sua gargalhada alta, o jeito bem-humorado, comparecia diariamente à loja da rua do Ouvidor, integrando-se àquele grupo de homens sem constrangimento, compartilhando até mesmo as piadas picantes que trocavam.

Rachel conquistou rapidamente o seu lugar junto a J.O. e a todo o pessoal da editora. Para ela, "a Casa" passou a significar tudo o que a palavra sugere. Tomava o endereço da rua do Ouvidor como o seu endereço pessoal. Era para lá, por exemplo, que a família costumava enviar do Ceará os queijos e doces. Como tantos outros, Rachel tornou-se, em suas próprias palavras, "rata da livraria", juntando-se a Adalgisa Nery, Dinah Silveira de Queiroz e Lúcia Miguel Pereira, as outras escritoras que passaram a frequentar o local.

A essa altura, os irmãos de J.O., Daniel e Athos, já tinham se incorporado à editora, fortalecendo ainda mais o espírito familiar que a "Casa" acalentava. Daniel cuidava da produção editorial, dos lançamentos e volta e meia dava sugestões na escolha dos títulos. Graciliano Ramos deve a ele o título de *Vidas secas*, que substituiu *O mundo coberto de penas*, ideia inicial do autor.

Para Rachel, a relação de afeto com o editor J.O. e seu irmão Daniel — "um dos mais preciosos amigos que já tive" — lhe foi de importância crucial. Recém-separada, trocavam confidências, recebendo afeto e apoio. Precisando montar a vida, J.O. e Daniel lhe sugeriram a tradução como um meio de ajudá-la na parte financeira. Vera Pereira, mulher de J.O., era quem comandava essa área. Rachel aceitou o desafio, aprimorou o seu inglês e passou a ter uma retirada mensal com as traduções. Dostoiévski, Jane Austen, Balzac, A.J. Cronin estão entre os autores traduzidos por Rachel que, ao todo, ao longo da vida, traduziu mais de quarenta livros para a editora. Quando Oyama entrou na vida de Rachel, J.O. e Daniel deram todo o apoio e tornaram-se imediatamente amigos do seu novo parceiro.

Rachel passara de "autora da casa", a "amiga da casa". Era madrinha do filho de Daniel e de uma filha de Athos. José Olympio manifestava seu ciúme dizendo-lhe que ainda iria arrumar outro filho — ele já tinha dois — para que ela pudesse batizar. Ela brincava dizendo que J.O. tinha complexo de Luís XIV por seu temperamento muito autoritário.

No entanto, por mais que desse opiniões sobre a vida pessoal de Rachel, J.O. nunca interferiu em seus originais. O consagrado editor era famoso pelo respeito à liberdade de seus autores. Também era reconhecido pelo seu espírito conciliador. Não poucas vezes sua sala serviu de palco para a solução de brigas e desavenças — era sempre ele quem promovia a paz.

Quanto às posições políticas, José Olympio não era chegado a nenhuma rede ideológica, desfrutando das boas relações com as autoridades próximas aos presidentes da República. Como na época de Getúlio, conforme conta a escritora.

Ele dava apoio ao Getúlio e vez por outra Getúlio fazia uma visita de estado à Casa, quando nós, comunistas, escapulíamos [...]. Ele [J.O.] era um homem muito inteligente, e via que a Casa só podia viver [...] dando-se bem com o governo. Como nós, os autores, só falávamos mal do Getúlio [...], ele tinha que ser o intermediário, e na verdade nossos livros jamais foram confiscados nem nada, mas o Zé Olympio nunca teve posição política nenhuma [...] Ele achava que as pessoas são pessoas, a política é a política; uns acertam outros erram.

(*José Olympio, o editor e sua casa*)

Carlos Drummond de Andrade confirma isso no artigo "A Casa", publicado no *Diário de Pernambuco* (11/11/1956): "José Olympio editou com o mesmo espírito autores da direita, do centro, da esquerda e do planeta Sirius."

Em 1964, a editora se muda para o número 12 da rua Marquês de Olinda, em Botafogo, um prédio de quatro andares construído por J.O., a partir do projeto de seu genro, Pedro Teixeira Soares Neto. No último andar, instala-se a Cantina Batatais, um espaço destinado a encontros festivos, onde, todas as quartas-feiras, eram realizados grandes almoços. Rachel de Queiroz era uma assídua frequentadora.

Os filhos de J.O., Vera e Geraldo, o Coley, tinham se incorporado à equipe, expandindo o clima familiar que já existia. Os netos — ao todo são nove — ainda hoje se lembram de que costumavam encontrar

Drummond, Manuel Bandeira, Guimarães Rosa e Rachel de Queiroz na editora do avô.

Ao longo dos anos, a José Olympio foi acolhendo a nata de escritores, artistas e intelectuais brasileiros. Como declarou o próprio J.O., em entrevista à equipe do projeto Portinari:

> A Casa tem cinquenta anos de história, de trabalho. Por razões meramente circunstanciais, nós trabalhamos durante um período longo da vida do Brasil, afinal, meio século... Sabe quantos séculos tem o Brasil? Apenas cinco, portanto, dez meios séculos. Um desses meios séculos foi vivido pela Casa, procurando ajudar o Brasil a civilizar-se.

Em 1973, ainda sob os efeitos do *crack* da bolsa de 1971, as dificuldades financeiras da editora, que já eram grandes, aumentaram, e, em 1975, a empresa foi encampada pelo Banco Nacional de Desenvolvimento Econômico. Dez anos depois, foi comprada por Henrique Sérgio Gregori, e, em 2001, pelo Grupo Editorial Record, de Sérgio Machado, que mantém o catálogo original de autores brasileiros, inclusive Rachel de Queiroz, atendendo a um pedido de J.O., que em vida declarou: "Eu gostaria que a Casa nunca deixasse de editar o Drummond, o Guimarães Rosa, a Rachel, o Zé Lins. Não é por vaidade. Mas, se fosse, seria uma vaidade muito legítima."

A relação afetiva de Rachel com a Casa, com J.O., seus irmãos e funcionários durou 57 anos, quando a morte os separou.

Em 1990, em crônica intitulada "J.O., o mais brasileiro dos paulistas", Rachel homenageia o seu inesquecível editor, morto aos 87 anos.

Nós, os que pomos no papel nossos pensamentos, sonhos e imaginações, dependemos do Editor, espécie de mágico que tem o poder de transformar em livro aquilo que eram apenas palavras, palavras. E quando temos o Bom Editor que nos solicita escritos, que põe em nós a sua confiança e seu dinheiro, ele vira a própria figura paterna.

J.O. editor preencheu, melhor que nenhum outro, essa função. Os seus editados viravam seus amigos tão íntimos como só irmãos o seriam.

[...] Sempre me escrevia cartas e bilhetes me chamando carinhosamente de *ma soeur* — por que em francês? Não sei. Ele não cultivava línguas estrangeiras.

Cultivava corações, lealdade, amizade. Dava e tinha retorno.

Foi um grande, neste mundo desigual.

(*As terras ásperas*, p. 59-60)

K k

Karla Holanda, a cineasta de Rachel

A ideia de trazer para a tela de cinema o perfil de Rachel de Queiroz surgiu do interesse de Karla Holanda e Eliane Terra em criar documentários sobre escritores brasileiros. A década de 1990 vivia a "retomada do cinema brasileiro". Com a criação da Secretaria para o Desenvolvimento do Audiovisual, em dezembro de 1992, durante o governo de Itamar Franco, e com a Lei do Audiovisual, que criara mecanismos de apoio à produção, baseados em incentivos fiscais, a classe cinematográfica foi tomada de novo estímulo, depois da traumática era Collor, quando foram extintas a Embrafilme, o Concine e a Fundação do Cinema Brasileiro.

Motivada por esse movimento, Karla Holanda abandona sua profissão de fonoaudióloga, sai do Ceará, onde residia até então, e parte para o Rio de Janeiro para iniciar sua carreira na área do audiovisual. Em 1992, realiza seu primeiro curta e, no ano seguinte, dá início ao projeto de filmar documentários sobre escritores brasileiros. O primeiro deles foi sobre Lúcio Cardoso (1993), seguido de Pedro Nava, Antônio Carlos Villaça e Aníbal Machado.

Em 1995, foi a vez de Rachel. Ela havia participado dos outros filmes, prestando depoimentos sobre seus amigos escritores, e, dessa relação afável, Karla e Eliane a convidaram para realizar um documentário sobre sua vida. Nascia, assim, *Um alpendre, uma rede, um açude*.

A primeira cena é peculiar: a chuva caindo num telhado toma toda a tela. A narração de Karla Peixoto — atriz cearense — fala do sertão verde em flor, dos riachos correndo, a paisagem cobiçada por um povo cuja presença da seca durante longos meses do ano é sempre ameaça devido à escassez de alimentos, pela morte. E a câmera muda, uma tomada de um açude, sempre tão presente na vida de Rachel.

Depois de passar as cenas da paisagem do sertão nordestino, aparece Rachel rapidamente num sorriso amplo, de pé na porteira azul da fazenda Não Me Deixes. Cena dela sentada na varanda com amigos e depois um *close* de seu rosto, sentada em sua cadeira Estava, então, com 85 anos. A fala firme a contar sua história nesse lugar, levada por seu pai quando tinha 9 anos. Cavalgaram alguns minutos e, ao chegar lá, seu pai lhe disse: "Essa é a terra do Não Me Deixes, se você quiser, será tua."

E foi. Com seu segundo marido, Oyama, construiu o seu canto onde, até o final de sua vida, gostava de passar pelo menos seis meses do ano.

O filme se passa basicamente em Não Me Deixes. "Esse nome tem cento e tantos anos, já herdamos a fazenda com esse nome, não foi literatice minha", faz questão de comentar. A câmera vai captando os cantos da casa: a varanda, o fogão a lenha, a máquina de escrever, a escrivaninha. Flagrantes de seu modo simples de viver.

Um alpendre, uma rede, um açude é um filme delicado. Nele se evidencia a preocupação da cineasta em mostrar a vida no Nordeste, que lhe é tão familiar. Nascida em Parnaíba, Piauí, Karla viveu por muito tempo em Fortaleza, Ceará, terra de Rachel.

Ela conta que foi muito à casa da escritora, no Leblon, para colher os depoimentos. Quanto mais se encontravam, mais Rachel se mostrava à vontade, não se intimidando com a câmera. No filme, há depoimentos muito íntimos, como seu sentimento em relação à morte da filha Clotilde e a profunda tristeza pela perda de seu amado Oyama.

No filme, há a força eloquente da imagem. O rosto largo de Rachel, os óculos grandes, tão necessários após as muitas cirurgias de catarata, o modo de vestir, o jeito de falar, detalhes que vão criando uma cumplicidade com o espectador. Independentemente das teorias a respeito do cinema, das discussões sobre a representação ou não representação do real, o filme de Rachel cumpre com a intenção primária da imagem em movimento que é levar ao espectador a sensação da "participação afetiva". Não há como não se emocionar ao ouvi-la falar de seus afetos, despir-se de qualquer vaidade e confessar:

> Não posso dizer que tenho fé, porque não tenho. Queria ter, mas não tenho nenhuma fé. É terrível, é uma pobreza horrorosa. Eu sonhava em ter um pouco de fé, mas, infelizmente, eu nunca tive esse socorro, e é muito duro passar pelas tragédias da vida sem esse apoio, e isso eu sei por experiência própria.

O filme mescla imagens do sertão e algumas passagens pelo Rio. Com a leitura em *off* de trechos de livros de Rachel por Karla Peixoto, sucedem-se imagens que tentam retratá-los. A citação do capítulo da morte do comandante no romance *Dôra, Doralina* é seguida por um relato íntimo sobre a morte de seu querido marido. Oyama cooperou muito com a elaboração do livro. Lia e relia o que ela ia escrevendo, dava algumas sugestões. Ao ler sobre a morte do comandante, ele perguntou a Rachel se seria assim que ela sentiria quando chegasse a sua vez. Rachel não soube responder. Não saberia decifrar o mistério da criação literária. Artimanhas do inconsciente, tentativa de digerir as próprias experiências? Quem há de saber?

O fato é que Oyama sofria de enfisema. No filme, Rachel comenta que, para os que sofrem desse mal, a morte se torna iminente. Possivelmente, a morte do comandante no romance tenha sido um exercício da perda, uma forma de começar a lidar com a difícil situação que teria de enfrentar. E esse momento chegou. Olhando corajosa para a câmera, Rachel confessa: "Treze anos que ele morreu e eu realmente ainda não assimilei essa perda, ainda é aquele buraco negro na minha vida."

Entre os depoimentos que enriquecem o filme, ha o de Antônio Houaiss. Com a voz pausada, a imagem serena, sua fala é um convite para se analisar o percurso literário da escritora: "Foi uma trabalhadora e literata espantosa. [...] Além de seus romances, exercia o jornalismo. Escrevia na *O Cruzeiro* semanalmente" com "agudo senso político, uma crítica social apurada". Como crítico respeitado, Houaiss passeia pela obra de Rachel, destacando seus méritos:

> [...] sabe criar enredo, criar situações, tramas. O leitor fica apaixonado pela sequência dos acontecimentos. Mas a maioria das pessoas não percebe que essa paixão se dá pela alta verossimilhança dos personagens. Ela dá às pessoas força física, caráter físico, força ou fraqueza física, ela dá aos personagens caráter físico e de uma psicologia extremamente aprofundada.

Ele não deixa também de mencionar sua importância para a Academia Brasileira de Letras: "Ela abriu a Academia para o mulherio que está lá. Ela capitaneia uma linha de pensamento para a valorização da própria Academia."

Também merece destaque o depoimento de Heloisa Buarque de Hollanda, estudiosa e admiradora de Rachel. Coordenadora de um centro de estudos que trabalha a questão da mulher na literatura, ela destaca a importância de Rachel ao se afastar da linha existencial, tão comum no texto escrito por mulheres.

> A Rachel é o contrário disso. Ela é uma superescritora, uma escritora moderníssima que vende muito, que faz muito sucesso até hoje. Com 84 anos, ela é um best-seller. Apesar de ela detestar ser chamada de feminista, ela é fundamentalmente a favor da mulher. Suas personagens são poderosas, ela tem uma galeria de mulheres fortes que culmina com Maria Moura, uma mistura de Rainha Elizabeth e cangaço.

Surgem cenas que procuram representar o romance *Memorial de Maria Moura* e o depoimento da escritora cearense Ana Miranda: "*Maria Moura* é um monumento", se referindo à estrutura narrativa em primeira pessoa e em várias vozes, "uma estrutura dificílima".

Outro depoimento interessante é o de Antonio Carlos Villaça, que diz: "Ela vai direto à vida, sem enfeites."

Fotos de álbuns de família e de amigos, imagens de capas de seus livros e da revista *O Cruzeiro* se combinam no filme com os depoimentos sinceros de Rachel. Ao falar sobre o processo criativo, ela admite:

Por ser uma profissional de jornal, a gente escreve em qualquer lugar: na coxa da perna, em cima da pia. Dizer que precisa estar num ambiente poético propício para ter inspiração pode ser que aconteça com poeta, mas não com um prosador como eu.

Em relação à sua posição de mulher e escritora, afirma: "Na verdade, eu sou uma escritora realista, portanto eu sou uma escritora do mundo feminino, que é o que eu conheço melhor. O mundo masculino a gente supõe", relata Rachel.

O filme termina com a autora explicando a frase que dará título ao documentário:

> Em *Um alpendre, uma rede, um açude* eu reúno as três coisas que são o símbolo do conforto, do consolo, símbolo para mim do que é a vida, do que o sertanejo espera e como ele se contenta. Tendo uma rede, um alpendre e um açude para lhe garantir a água, ele já se sente feliz. É o símbolo da felicidade.

LI

Laços de família

> Famílias, a natureza as faz, mas a gente as arruma ou organiza.
>
> Rachel de Queiroz

O cotidiano familiar, o universo da casa, da fazenda, a vida ordenada, os pratos à mesa, o feijão, o queijo de coalho e os doces de dona Clotilde. Época em que as famílias eram extensas, o convívio, estreito. A pátria da infância moldando um território mítico de figuras humanas que serviram de modelo à escritora na montagem de seus personagens.

A começar pela vozinha Rachel, de quem herdara o nome. Uma mulher de personalidade forte, que gostava de mandar as netas lerem romances considerados "romances de moça", onde fazia sempre observações sobre os personagens e os temas abordados. Tendo enviuvado aos 45 anos, viu-se com dez filhos e um grande patrimônio para administrar. Com uma sólida base econômica, fazia questão de ela mesma cuidar da direção da fazenda, iniciando assim uma linhagem "matriarcal" no quadro da família da escritora. Sentada na rede do alpendre da fazenda do Junco, fazendo tricô e crochê, a roupa engomada, o cheiro de colônia e talco são imagens e sensações de dona Rachel que *proustianamente* ficaram impressas na memória da escritora. Quando vozinha adoeceu, devido a uma hérnia estrangulada, a casa da fazenda foi ocupada pelo povo da redondeza, dezenas de pessoas que ficavam a noite toda sentadas nos degraus, em vigília.

A avó Rachel e o avô Arcelino tiveram dez filhos — dentre eles dr. Daniel —, que lhes deram 39 netos. Os avós paternos, o engenheiro Rufino e Maria Luiza, além de Clotilde, tiveram mais dois filhos: Cícero e Felipe, dos quais vieram dez netos.

Avôs e avós, tios e tias, primos e primas, os comportamentos de cada um com os quais a criança Rachel se iniciou no exercício de captação sobre as ambiguidades da natureza humana: as lições de polidez do avô Rufino, "as moças é que têm o direito de receber as homenagens dos cavalheiros", ele dizia; a língua ferina de tio Benévolo; os ataques histéricos da prima Agith, que maltratava a bisavó Miliquinha; a tia Maria Isabel, que, impedida pelos pais, saiu de casa para casar, concretizando a primeira cerimônia de casamento civil realizada no estado, mais precisamente no Palácio do Governo.

Inúmeros tipos humanos, traços de personalidades identificadas em Rachel: a vitalidade dos Queiroz; a catarata da bisavó Miliquinha, que a levou a se submeter a inúmeras cirurgias oculares ao longo da vida; o apreço pelo hábito de cozinhar; a satisfação em ter gente ao redor.

No sangue, as mulheres da família, um comportamento que matinha o tripé mãe-esposa-dona de casa, mulheres que sabiam exercer muito bem o comando doméstico, mas atentas em conhecer os novos desejos e comportamentos sociais que surgiam na época. Casadas com profissionais liberais que não configuravam a mentalidade do tipo fazendeiro nordestino, sabiam compor as suas obrigações femininas e maternais com a leitura de bons livros. Sua mãe, tia Beatriz, Elza, leitoras de Eça de Queiroz, Anatole France, Balzac, Dostoiévski, em suas conversas, iam passo a passo contribuindo para construir o encontro de Rachel de Queiroz com a literatura.

A morte prematura de seus irmãos — Flávio, em 1935, e Luciano, em 1948 — desestabilizou o ambiente familiar que antes era só alegria. Com Roberto, o irmão que ficou, Rachel manteve laços firmes. Encontravam-se com frequência, dando boas risadas ao lembrarem as aventuras compartilhadas durante a infância até a sua morte, aos 82 anos, em 1995.

Como Rachel, Roberto cresceu entre Fortaleza e o Junco. Tornou-se juiz, como o pai e o avô Arcelino. No capítulo do livro de suas memórias, *Tantos anos*, intitulado "Roberto", ela reflete o afeto que os unia:

> [...] cada vez mais bonito, o danado, com aquele cabelo branco nas têmporas, o sorriso claro, a cor fina da pele. E aquela inteligência aguda, a malícia no entender, a ironia pronta, o ceticismo sorridente. A ternura encabulada (*Tantos anos*, p. 107).

> Pode a gente estar velha e caduca, mas o amor de irmão conserva o seu perfume de infância através dos anos e anos. Aquela confiança que só menino tem, aquela segurança de afeto, a crença na perfeição e na lealdade do ser amado. Mormente irmãos com pouca diferença de idade, criados na mesma ninhada, juntos e solidários. [...] Amor de irmão não duvida nem desconfia, é amor dificilmente vulnerável, uma vez que jamais se desloca para a área perigosa dos outros amores. [...]
>
> Enquanto você tem irmão, tem você uma reserva de intacta meninice. Pois, de um para outro, vocês até a morte continuam a ser "os meninos" (p. 105).

Em sua história de vida, a promessa legítima de família não se realizou. A morte precoce da filha Clotildinha, o casamento desfeito com Zé Auto, o segundo casamento sem filhos. Mas o espírito agregador estava impregnado em Rachel. A facilidade em fazer amigos e reuni-los à sua volta. A casa da Ilha do Governador fora um ambiente de receptividade constante. Rachel recebia sempre com prazer os que iam visitá-la, oferecendo almoços que ela mesma preparava.

Mas o universo gerado por sua irmã Maria Luiza, com os filhos Flávio e Daniel e os netos provindo deles, Ana Teresa e Pedro, foram incorporados por Rachel e Oyama de maneira tão íntegra que mantiveram vivos os laços de família. Como ela mesma relata em *Tantos anos*:

Como sempre considerei Maria Luiza minha filha, dada a nossa grande diferença de idade, e, aliás, conquistei esse direito maternal bordando as camisinhas de pagão dela, fazendo-lhe os sapatinhos de lã (para cujo efeito tratei de aprender tricô com minha avó Rachel, ainda viva). [...] Como, para infelicidade nossa, perdemos mamãe, para nós, muito cedo, Oyama e eu, de certa forma, adotamos Maria Luiza como nossa filha. Na nossa casa ela noivou e casou. Sob os nossos olhos nasceram os dois filhos — nossos netos, claro. [...] Foi assim que me "arranjei" uma família igual à dos outros [...] (p. 257-258).

M m

Maria Moura e as personagens femininas

Memorial de Maria Moura foi o último romance escrito por Rachel, quando estava com 82 anos. Baseado em uma personagem real chamada Maria de Oliveira, uma cearense que, na grande seca de 1602, organizou o primeiro bando a lutar em disputas de terra no sertão. Em entrevista, Rachel conta:

> Uma mulher que saía com os filhos e um bando de homens assaltando fazendas era a Lampiona da época, pensei. Ao mesmo tempo, eu sempre admirei muito a Rainha Elisabeth I da Inglaterra, que morreu no início do século XVII. Li várias biografias dela, a ponto de me sentir uma espécie de amiga íntima, dessas que conhecem todos os pensamentos e sofrimentos. A certa altura, pensei: "Essas mulheres se parecem de algum modo." E comecei a misturar as duas. Estava pronto o esqueleto do romance. A partir daí fui desenvolvendo os episódios.
>
> (www.passeiweb.com/na_ponta_lingua/livros/resumos_comentarios/m/memorial_de_maria_moura)

Depois de longa pesquisa efetuada com o auxílio da irmã Maria Luiza, o universo de Maria Moura foi sendo traçado.

A trama situa-se em meados de 1850, no sertão. O livro se inicia com um episódio de extrema dramaticidade: Maria Moura, com apenas 17 anos, encontra a mãe enforcada.

> Quantos anos eu tinha naquele tempo? Dezessete? Era. Minha mãe amanheceu morta, enforcada, perto da cama que ela repartia com ele, o Liberato.
>
> Eu que descobri. Minha mãe morta, enforcada no armador da parede. Em redor do pescoço, um cordão de punho de rede, os pés a um palmo do chão, o rosto contra a parede. Tombado no tijolo, o tamborete em que ela subiu para acabar com a vida.
>
> Vendo aquilo, eu soltei um grito que me rasgou a garganta e o peito. E me agarrei com Mãe; ela já estava fria, o corpo duro (p. 21-22).

Mais tarde, Maria Moura descobre que a mãe foi morta pelo padrasto — "aquele homem enxuto de corpo, branco de cara, cabelo crespo, mostrando os dentes sem falha quando se ria" — por ter se recusado a assinar um documento que dava a ele o direito às suas terras. Liberato, então, seduz Maria Moura, para depois forçá-la a assinar o documento. Maria Moura manda matá-lo.

Após a morte do padrasto, o romance toma outro rumo. Maria Moura enfrenta os primos Tonho, Irineu e Firma, que ameaçam tirar-lhe as terras. Ela então monta uma estratégia, põe fogo na própria casa e foge pelo sertão acompanhada por seus "cabras". O enredo passa então a mostrar as aventuras da personagem, num ambiente inóspito, lutando para reconstruir sua vida.

> Eu sempre tinha vivido trancada em casa, as cunhãs me trazendo tudo na mão, preparando meu banho, lavando e passando a minha roupa, fazendo comidinha especial porque eu era biqueira. Mãe tinha me acostumado muito mal.
> Agora aquela vida dura, só com os homens por companhia, naquele mato isolado, nem sei como pude enfrentar.
> Mas tinha que ser e eu ia adiante. [...]
> Eu queria ter força. Eu queria ter fama. Eu queria me vingar. Eu queria que muita gente soubesse quem era Maria Moura. Sentia que dentro da mulher que eu era hoje, não havia mais lugar para a menina sem maldade, que só fazia o que a mãe mandasse, o que o pai permitisse (p. 122-124).

Delineia-se, então, uma personagem feminina que, já no início do romance, se depara com a tragédia, o que a condiciona a ter o comportamento de autodefesa como reação à maldade humana.

A obra de Rachel de Queiroz se caracteriza por apresentar personagens femininas cuja tônica é a defesa de sua individualidade, avessa à submissão. E Maria Moura representa o arremate de todas as personagens apresentadas em seus romances anteriores. Como diz Heloisa Buarque de Hollanda:

> As mulheres criadas por Rachel, agora condensadas em Maria Moura, cumprem com maior ou menor clareza sempre um mesmo ciclo: a quebra violenta e traumática das regras de manutenção da continuidade familiar e, consequentemente, da própria sociedade.
>
> (*Nossos clássicos*, p. 28)

Quando lançou *O Quinze*, Rachel surpreendera por ter retratado uma personagem — a Conceição — com ideias avançadas quanto à situação da mulher.

Essa primeira figura feminina delineada por Rachel de Queiroz irá traçar um perfil de mulher analisado por Wilma Áreas da seguinte forma:

> *O Quinze* mostra a busca da explicitação de sua linguagem contra o excesso romanesco que vem colado ao desejo da mulher de ocupar um lugar na sociedade [...] Por outro lado, pode-se compreender a "seca" como figuração inesperada e original do caminho da mulher moderna de uma certa classe, uma "retirante às avessas", como diz João Cabral referindo-se a uma outra situação, pois desloca-se do conforto das posições e proteções patriarcais para a secura de sua autoconstrução necessariamente solitária e radical.
>
> (*Cadernos de Literatura Brasileira*, p. 92)

No seu segundo romance, *João Miguel*, sobressai a personagem Santa, mulher do protagonista. Após a prisão do marido, por um crime que cometera bêbado, ela irá inúmeras vezes visitá-lo na cadeia, onde se desenvolve a maior parte do enredo. No decorrer da narrativa, insinua-se um possível relacionamento entre Santa e o cabo Salu. De início, Santa justifica sua atitude como uma forma de conseguir um melhor tratamento para João Miguel. No entanto, para o leitor, vai se revelando o conflito vivido pela mulher, dividida entre a fidelidade conjugal e a atração por outro homem. Paralelamente, descortina-se o drama de João Miguel, atormentado pelo ciúme, à medida que percebe a intimidade que existe entre a mulher e o cabo.

A traição é enfocada de forma mais direta no romance seguinte, *Caminho de pedras*. Noemi, a protagonista, ao se engajar na militância política, apaixona-se por um companheiro de partido e acaba por trair o marido.

Em *As três Marias*, Rachel elege a personagem Guta para trilhar o caminho da emancipação feminina. Ao deixar o internato, ela faz um concurso para datilógrafa em um jornal de Fortaleza e opta por viver sozinha.

> Comecei a trabalhar. E parecia-me que a felicidade começava. Viver sozinha, viver de mim, viver por mim, livrar-me da família, livrar-me das raízes, ser só, ser livre! (p. 82)

> O mundo: grande era a minha sede. Não de prazeres, ou melhor, não só de prazeres. Minha alma era como a daquele soldado da história de Pedro

Malasartes que abandona tudo, sai de mochila às costas [...] Ele, porém, escravo do desejo de "ver", de "conhecer", afronta tudo, continua eternamente atrás da surpresa impossível, do nunca-visto, caminhando sempre para a frente, sob o sol e por entre perigos (p. 83).

Guta irá se envolver com um pintor casado, depois com Aluísio, que se suicida. Por fim, encontrará o amor em Isaac, um médico judeu que conhece no Rio de Janeiro.

Dôra, Doralina surge depois de longo afastamento do romance — 36 anos —, período em que a necessidade de criação no campo da ficção foi suprida pela criação de duas peças de teatro, histórias infantis e as crônicas. Nesse romance, a protagonista traz uma nova abordagem para o perfil das personagens mulheres de Rachel ao unir a mulher rural e a urbana. No início, a vida na fazenda no Nordeste, oprimida por uma mãe dura e um casamento infeliz que piora quando ela descobre que o marido a traía com a sua própria mãe. Depois que seu marido morre, de um modo que não fica bem esclarecido, Dôra abandona a mãe e se lança em busca da sua felicidade. Vai para a cidade grande, se engaja numa companhia de artistas e inicia a carreira de atriz, partindo para viagens pelo Brasil. Conhece o comandante do navio que viajava pelo São Francisco, um sujeito bonito, alcoólatra e contrabandista, por quem se apaixona.

> Ai, eu fazia um deus daquele homem, podia estar muito errada, mas eu não sei. Afinal, amor é isso mesmo, a gente pegar um homem ou uma mulher igual aos outros, e botar naquela criatura tudo que o nosso coração queria (p. 365).

Dôra, Doralina é um romance denso, da maturidade. Uma narrativa que busca as explicações para as interrogações de Dôra através de uma viagem pelo tempo, recorrendo ao *flashback*. Ao retornar ao seu punho de romancista, Rachel de Queiroz mergulha em reminiscências do passado, trazendo, por meio de sua criação literária, questões que permeavam seu inconsciente. A questão quanto à maternidade é um exemplo.

> Mais de uma vez eu disse que se tivesse uma filha punha o nome dela de Alegria. Mas não tive a filha [...] Afinal, nem filha nem filho. Um que veio foi achado morto; me dormiram, me cortaram, me tiraram, estava morto lá dentro, ninguém o viu. Mas isso eu falo depois, numa hora que doer menos ou não doer tanto. [...] Filho, filho, falar franco, hoje só raramente me lembro do filho perdido. Mas tenho inveja das outras com seus filhos e netos, genros (p. 14).

Publicado em 1992, *Memorial de Maria Moura* fecha o círculo sobre os perfis de mulheres fortes trazidas pela escritora. É um livro que não poupa o leitor. Ódio, paixão, solidão, ganância, egoísmo, a denúncia e a exasperação de sentimentos considerados humanos, desafiando os critérios morais impostos pela sociedade. Recorrendo às raízes nordestinas associadas ao personagem do herói mítico da literatura universal, Maria Moura é a donzela que vai à guerra pela disputa das terras do sertão, representante feminina do bandoleiro valente que mata para reafirmar a própria honra, encontrado na literatura de cordel do Nordeste brasileiro. Segundo Rachel, Maria Moura "é tudo o que eu queria ser e não consegui".

Na visão de Heloisa Buarque de Hollanda, as personagens de Rachel se estruturam dentro de uma linha literária que não encontra paralelo:

> [...] nenhum vestígio da heroína vitimizada, da abnegação sensível ou das grandes viagens existenciais, traços aparentemente típicos do universo literário da mulher, e que fazem hoje de Clarice Lispector o grande emblema da literatura feminina brasileira.
>
> (*Cadernos de Literatura Brasileira*, p. 113)

As personagens femininas da ficção literária de Rachel de Queiroz aprofundam uma identidade do universo feminino regional brasileiro que podemos caracterizar em dois tipos: um protótipo da matriarca poderosa, dona de suas fazendas — Mãe Inácia, Senhora —, e o tipo rebelde, representado por Conceição, Santa, Guta, Dôra e Maria Moura.

Nesse seu último romance, Rachel de Queiroz goza da experiência adquirida nas histórias que ouviu e absorveu na fazenda do Junco, na Ilha do Governador, das crônicas que escreveu ao longo da sua vida, dando ao leitor o presente extremo de descrever sentimentos e conflitos, os mais profundos da natureza humana. No caso de Maria Moura, Rachel a veste de homem, como se assim fosse possível ser respeitada nas suas determinações, na sua individualidade, em que se identifica certo paralelo ao personagem Diadorim, de Guimarães Rosa. No início do romance, a protagonista, convivendo somente com homens, se revela valente, a mandante do grupo, a poderosa. Constrói casa, a Casa Forte, o verdadeiro castelo que muitos procuram como refúgio, alguns por terem cometido crime, como foi o caso do padre. Entretanto, do meio do romance em diante, aparece na personagem o conflito quanto à sua condição inexorável de mulher.

> No escuro, na cama, quando me vi estava chorando. Enxuguei os olhos no lençol, danada da vida. Te aquieta Maria Moura. Você não é mulher de chorar, nem mesmo escondido.
>
> Cadê a dona da Casa Forte, a cabecel desses homens todos, que comanda de garrucha na mão e punhal no cinto? Com vinte bacamartes carregados, garantindo a retaguarda, para o que der e vier?
>
> Mas ali, na cama vazia, vestida na minha camisola cheirosa a manjericão, eu não tinha vontade nenhuma de ser durona, tinha vontade era de abrir a boca e cair no berreiro [...].
>
> (*Memorial de Maria Moura*, p. 389)

E na sua paixão por Cirino, o jovem que por lá aparece fugindo da perseguição por causa de um crime, Maria Moura expõe a sua fragilidade diante do amor.

> E de repente Cirino se sentou na cama, nu da cintura para cima; segurou o braço estendido, me puxou com força, me derrubou no colchão. E num pulo, como se fosse um gato, saltou por cima de mim, prendeu minhas pernas entre os joelhos. Com o peso do corpo me esmagava o peito, os seios. E apertando a boca na minha, me mordia. Afinal, com um gesto rápido da mão, me levantou a camisola e me forçou — como se me desse uma facada.
> Eu poderia ter gritado, ou pelo menos gemido alto, entre os dentes dele.
> Mas a verdade é que não lutei. Amoleci o corpo, parei de resistir, deixei que ele fizesse comigo o que queria.
> Não sabia que homem fosse capaz daquela violência. E logo depois senti que eu estava gemendo, baixinho, no compasso dele. E não era gemido de dor, muito menos de raiva. Nem sei dizer o que era (p. 366).

Apesar de admitir sua paixão por Cirino, não hesita em mandar matá-lo ao descobrir que ele traíra as regras da Casa-Forte. O perfil dessa sua personagem condensa em menor ou maior grau o mesmo fim de todas as outras personagens de seus romances: a questão amorosa irrealizada, a falta de filhos caracterizando o rompimento de uma continuidade familiar, objetivo final da estrutura romanesca tradicional, e os romances terminam indicando a opção pelo desconhecido.

Curioso que nos manuscritos originais de *Memorial de Maria Moura* verificamos que Rachel havia escrito dois finais para o romance: no primeiro, Maria Moura idosa, contando sua história. No segundo, Moura sobre seu cavalo, num trote largo, a se lançar com seus cabras mais antigos para um destino que nem ela sabia no que poderia dar. A opção pelo segundo, dando ponto final ao romance no dia 22 de fevereiro de 1992, às 11 da manhã, nos revela a marca que a escritora quis deixar para a sua obra.

Nessa sua última obra de ficção, nos chama a atenção a ousadia na forma de narrar, em que Rachel utiliza o discurso polifônico para desenvolver seu enredo. Cada capítulo tem como título o nome de um personagem que conduz a narrativa naquele episódio, em primeira pessoa, cada um com uma linguagem específica.

O primeiro a se apresentar é "O Padre".

> Ouvindo o tiro, eu me apeei do cavalo. Então, tinha chegado o lugar. Saí do caminho, puxando o Veneno pela rédea, meti-me pelo mato já zarolho, àquela altura de julho.
>
> Outro tiro. Não devia ser comigo — quer dizer, apontando contra mim. Talvez estivessem fazendo exercício de pontaria. Distante escutei o latido de um cachorro. E, de tão exausto que estava, sentei-me debaixo de uma moita e estirei as pernas no capim seco do chão.
>
> [...]

> Vão querer descobrir o que eu vim fazer aqui.
>
> E aí eu peço que me levem para ver a Dona. Digo que nós dois somos conhecidos velhos... E não somos?
>
> Bem, ela deve se lembrar da confissão. Não é todo dia que se faz uma confissão daquelas. Ela tem que se lembrar (p. 11).

Ao final desse capítulo, a descrição de Maria Moura na visão do personagem:

> E então apareceu a Dona. Calçava botas de cano curto, trajava calças de homem, camisa de xadrez de manga arregaçada. O cabelo era aparado curto, junto ao ombro.
>
> Alta e esguia, podia parecer um rapaz, visto de mais longe. A cara fina seria mais bonita se não fosse o ar antipático, a boca sem sorriso (p. 14).

No segundo capítulo, intitulado "Maria Moura", é a vez de a protagonista assumir a narrativa:

> Meu Deus, eu creio que me lembro dessa cara... É branco, usa roupa diferente, deve ser gente de rua. Que é que ele está dizendo? "Eu peço um particular..."
>
> Não sei por que, engraçado, tive medo. De que cemitério me saiu aquela assombração? Muito amarelo, eu diria até descarnado, a roupa mais ou menos, mas velha e suja.
>
> — Que é que o senhor quer comigo — e num particular? Que eu saiba, não tenho segredo nenhum com vocemecê (p. 15).

Ao longo do romance, outros personagens assumem a narrativa, como é o caso de Tonho, Irineu, Marialva — a romântica que foge com Valentim, um artista de circo. No entanto, ao final, as vozes narrativas são apenas do Beato Romano, nome que o padre assumiu quando foi morar na Casa-Forte, e de Maria Moura.

No desenlace do romance, percebe-se que a Casa Forte, a fortaleza construída por Maria Moura, refúgio de criminosos, era, na verdade, a proteção de um grupo que não se deixou sujeitar pelas imposições sociais, escolhendo matar para sobreviver.

Com esse romance, Rachel de Queiroz recebe, em 1993, o prêmio Camões e o prêmio Juca Pato. Em 1994, vende os direitos de adaptação da obra para uma minissérie da Rede Globo de Televisão.

N n

Não Me Deixes

Era inverno, 1920. Na fazenda do Junco, o dr. Daniel mandou selar Kaiser, um puro-sangue inglês, para ele, e um alazão para Rachel. "Vou levá-la a um lugar onde você vai situar a sua fazenda", disse.

A lagoa do Seixo estava linda. As flores dos umaris-bravos, dos ipês, dos aguapés. Era mês de maio ou junho. Recorda-se Rachel, em *Tantos anos*:

> [...] papai me levou até a lagoa por umas picadas abertas no mato, tudo fechado. Então eu falei: "Você vai me dar esta fazenda? Pois vou fazer a minha casa aqui" (p. 230).

Ele disse:

> Não, você vai fazer sua casa junto do açude. [...] Mande o seu marido fazer a casa virada para o nascente. E, quando se casar, venha morar aqui (p. 230).

As palavras de seu pai, o timbre de sua voz, a voz das histórias contadas na rede da fazenda do Junco, a voz que impulsionou sua carreira. Uma voz firme.

* * *

Esse nome acompanhava aquele pedaço de terra desde quando o avô Arcelino, pai de Daniel, herdara as 18 fazendas de seu irmão, Miguel Francisco de Queiroz. Tio Miguel doara aquela área para um sobrinho cujo nome se perdeu. Depois de um tempo, ele abandonou a fazenda e mudou-se para o Amazonas. Oito anos se passaram, e ele voltou enfraquecido e sem dinheiro. Tio Miguel lhe legou o mesmo pedaço de terra, com a condição de que só saísse dali morto. A partir de então, a fazenda passou a se chamar Não Me Deixes.

Era um "buraco no meio do mato, longe da estação do trem, não tinha casa, não tinha nada" (p. 216), recorda-se Rachel. Após a morte do pai, nas conversas familiares em que se discutia a partilha, ela não titubeava: "Eu já tenho a minha parte: o Não Me Deixes" (p. 216). Sua insistência era motivo de gozações, ninguém entendia seu interesse pela parte menos nobre das terras. Rachel não se importava. Dentro dela, ainda ecoavam as palavras do pai, naquela manhã de 1920.

A morte do dr. Daniel foi súbita, em 1948, no dia 15 de agosto, em Fortaleza. Estava com 62 anos, tinha o costume do cigarro. Foi um infarto.

O corpo foi levado do sítio do Pici de caminhão para o Junco. O caixão, para a capela do cemitério da família.

> É só um quadrado de muro branco e a capela no meio; o portão de madeira rangedor nos gonzos velhíssimos. Nem catacumbas engavetadas, nem anjos de mármore, nem grades de bronze, nem placas de granito preto. Quase o simples chão natural com a saliência das covas e, espalhadas irregularmente, as cruzes de madeira, na maioria anônimas ou riscadas rudemente com tinta branca com os nn e os zz às avessas. De raro em raro uma pedra com nome e duas datas. A capela caiada, nua por fora e por dentro, tem no canto do altar um simples nicho que abriga um antiquíssimo santo de pau, de cara dolorosa e corpo de anão. [...]
> Na manhã nascente, o sol sobe depressa enquanto os homens abrem uma cova. [...] O chão é duro, os cavadores suam. Mas não se queixam — antes parece que rasgam a terra com amor, com reverência. Vivos e mortos, todos nos sentimos ali unidos e companheiros.
>
> (*Um alpendre, uma rede, um açude,* p. 120)

O falecimento de dr. Daniel de Queiroz foi muito sentido pelos caboclos da fazenda do Junco, pelos habitantes de Quixadá. Figura querida na região, após sua morte, a estação passou a se chamar Estação Daniel de Queiroz.

Mas a sua fazenda Não Me Deixes só tomará corpo após a morte de dona Clotilde, que acontece em

1953, depois de sua luta contra um câncer de fígado. Abalada com a perda sucessiva do marido e do filho Luciano — que faleceu aos 28 anos, vítima de uma doença congênita no coração —, ela se mudara para o Rio com Maria Luiza, a filha caçula.

Com sua morte, Rachel, Roberto e Maria Luiza tiveram de dividir as terras: "para nós, essa ruptura do bloco de terras que constituía o Junco doeu muito", conta Maria Luiza.

Chegando o verão, Rachel e Oyama foram para o Junco e, com a ajuda do irmão Roberto, juiz em Pacatuba, que lhes conseguiu emprestado um jipe Land Rover inglês, começaram a construção da casa.

"Oyama, homem de rua, não entendia muito de fazenda, mas tinha aquele instinto, aquela vontade de acertar", conta Rachel (*Tantos anos*, p. 231), que o ajudava, mais inteirada que era dos assuntos relacionados a fazendas.

Ali já moravam Chico Barbosa, Eliseu e Pedro Ferreira. Oyama e Rachel mandaram construir novas casas para eles, que ajudavam a tomar conta das terras.

Em 1955, já estava em funcionamento o curral, com as 29 cabeças de gado que Rachel recebera de herança. Aproveitando-se das férias de Oyama no hospital, foram para o Não Me Deixes, a fim de se dedicar inteiramente à construção da casa. Com gente da terra, eles mesmos fizeram os tijolos; a madeira para a casa também foi retirada da região.

De fora, vieram apenas as ferragens e as telhas. Para executar a obra, contavam com João Miguel, mais do que um mestre de obras, um verdadeiro aliado. Fazia tudo para atender às vontades do casal. Quando Rachel decidiu que o telhado deveria ser de quatro águas, como o do Junco, não havia jeito de fazê-lo entender o que queria. Ela não desistiu. Recolheu no terreno uma porção de varinhas de mato-pasto e pacientemente compôs o telhado como sonhava. João Miguel ficou encantado. Executou a obra e depois guardou a maquete com orgulho, como "lembrança de dona Rachel".

No fim da obra, fizeram a tradicional festa da cumeeira. Potes de caçuá, cocadas, bolo de milho, a mesa estava repleta de iguarias sertanejas naquela noite de lua cheia. Um tocador havia sido contratado, e a dança varou a madrugada.

Na fazenda Não Me Deixes, Rachel conheceu um novo homem. Oyama, tido como um homem irrequieto, um pouco cético; ali, em Não Me Deixes, ficava animado, brincalhão, saía com os caboclos para o mato, criando uma amizade sincera com o pessoal de lá.

E aos poucos, sem saber, Oyama foi incorporando muitas atitudes do pai de Rachel. Gostava de ficar à noite deitado na rede do alpendre conversando com os caboclos, e, ao entrar em casa, tinha o costume de abrir um vinho.

Foi um período feliz. No seu quarto de dormir, a cama do casal tinha o tradicional mosquiteiro; uma mesa de madeira, sua máquina de escrever e uma rede, onde por vezes Rachel dormia. E havia o silêncio, as tardes preguiçosas, a conversa mole com o povo do sertão.

Se a vida na Ilha do Governador — para onde se mudaram em 1945 — já consolidara um pacto entre os dois na escolha de um ritmo de vida tranquilo, ali, na fazenda, esse gosto se completava ainda mais. O amor por Oyama atingia o seu auge.

Na crônica "Meditações sobre o amor", Rachel reflete:

> Amor é coisa rara. Não é a todos que se apresenta a oportunidade de amar, nem se encontra capacidade de amar em todos a quem a oportunidade se apresenta. É mister que se reúnam capacidade e oportunidade, ocasião e pessoa.
>
> (*Um alpendre, uma rede, um açude*, p. 80)

Em 1960, Rachel estava em Não Me Deixes quando ocorreu um fato curioso. Estavam sentados no alpendre, o som da coruja, o céu relativamente claro e a conversa era sobre satélites, a grande novidade daquele tempo, quando, de repente, Eliseu deu um grito: "Olha que satélite grande!"

Era uma luz estranha, forte, perto da linha do horizonte, se movimentando horizontalmente. A exibição durou uns vinte minutos.

Dia seguinte, depoimentos no rádio — não havia televisão em Não Me Deixes — diziam ser um disco voador. Testemunhos sem magnificar, nem exagerar. Inclusive Rachel, cética quanto a isso, se perguntou: "O que foi isso que eu vi?"

★ ★ ★

Rachel gostava de ir para a sua fazenda. Lá, além de escrever, podia desfrutar de sua outra habilidade: cozinhar.

A cozinha nordestina tem características específicas. Descende da cozinha portuguesa com influência dos costumes indígenas. A farinha de mandioca, a carne cozida e assada no espeto, o feijão temperado com um pedaço de carne ou de toucinho. E os doces: bolo de milho, pé de moleque, doce de leite, de coco, de mamão verde com coco e o doce de "espécie", de origem africana, feito com especiarias, tendo como base a rapadura.

Cozinhar na sua fazenda tinha gosto de Junco, das lembranças da mesa farta preparada por dona Clotilde e Mãe Titó. No centro da cozinha de Não Me Deixes, o fogão a lenha era rei. Grande, com uma chaminé no meio, que uma das meninas acendia antes de o sol nascer e ficava funcionando sem pausa até o jantar.

Flávio, o filho mais velho de Maria Luiza, que desde muito pequeno passou a frequentar a fazenda dos "avós", conta:

Um pouco depois, ainda escuro, chegava a Nise, que governava a cozinha de minha avó. Eu, então, me aboletava ao pé do fogo e esperava que a Nise, a quem eu adorava, fizesse ali na hora para mim uma das delícias de que eu mais gostava, a tapioca. Como quase tudo na cozinha sertaneja, a tapioca envolve um esmerado trabalho artesanal. A goma da mandioca deve ser umedecida com água e sal e depois esfarelada. Então, deve ser espalhada em uma pequena frigideira bem quente; o calor faz a goma se aglomerar. Nise a virava, girando no ar como uma panqueca, para então assar o outro lado. Eu comia ali mesmo, na beira do fogão, passando muita manteiga em cima.

[...] Ir para o Não Me Deixes significava mudar completamente os gostos e cheiros, pois a cozinha sertaneja é muito diferente da que comemos aqui no Sul. Até hoje, quando sento à mesa da fazenda, ao provar o feijão-de-corda temperado com coentro fresco e nata de leite, sinto a lembrança daquele mesmo sabor e do seu impacto distante. O arroz com colorau e o leite grosso são outros sabores de que me lembro. As carnes de carneiro, guisadas e muito pesadas, não agradavam ao meu paladar de então, e eu muito menos tolerava as terríveis buchadas e paneladas. Em compensação, no prato do garoto substituíam-se as carnes por um maravilhoso ovo mexido. Um ovo de galinha de terreiro, rico em proteínas das minhocas ciscadas na terra, de uma cor amarelo-ouro e uma consistência mais rígida do que os pálidos ovos de granja que hoje temos de comer.

(*O Não Me Deixes*, p. 11 e 12-13)

Nise, lembrada por Flávio, vinha de quatro gerações a serviço da família, e foi a legítima herdeira da cozinha de Mãe Titó e dona Clotilde. Seu dom culinário se confirmou ao conseguir reconstituir no queijo de coalho de Não Me Deixes o queijo do Junco feito pela mãe de Rachel.

* * *

A casa ficava cheia. Agregados e visitantes, pessoas que iam fazer uma visita a dona Rachel, trazer-lhe uma galinha, uma dúzia de ovos, um jerimum. Outros chegavam interessados em uma consulta de graça com Oyama. E quem chegava não saía com fome, sempre tinha um bolo, pé de moleque e o café.

Ah! O café da fazenda Não Me Deixes. O café torrado em casa, vindo dos cafezais que crescem sob as ingazeiras da serra do Baturité. O café vai para um tacho de barro e, com uma colher de pau, vai se remexendo até que os grãos fiquem escuros. Depois de moído, o pó é peneirado. O cheiro bom, muito bom.

Rachel conseguiu fazer da fazenda Não Me Deixes um colo para todos da região. O colo que ela havia tido durante toda a infância, incorporando as matriarcas semilendárias do sertão, figuras de forte vitalidade, proprietárias de terra e gado, presentes ainda hoje no imaginário cultural nordestino. Ela e Oyama passavam seis meses do ano lá e seis meses no Rio de Janeiro.

Amigos de Rachel e Oyama frequentavam a fazenda Não Me Deixes. Guimarães Rosa, quando esteve lá, fez um desenho, onde escreveu: "Fazenda Não Me Deixes, de Rachel, no Ceará, que é só uma terra muito iluminada de sol e de gente."

★ ★ ★

Quando Oyama adoeceu, as idas para a fazenda cessaram. O câncer de traqueia exigia cuidados e dificultava a alimentação. Rachel esteve ao seu lado todo o tempo. Era ela quem trocava os tubos, quem cuidava de todas as suas necessidades. Não havia uma enfermeira que a aliviasse nas solicitações noturnas. Os pais de Rachel haviam morrido literalmente nos braços de Oyama e, portanto, ela sentia que cada gesto seu era fundamental nesse duro momento.

Em 1982, Oyama falece. Muitos pensaram que ela não fosse resistir por muito tempo. Estava exausta e enfraquecida. Durante um bom tempo resistiu à ideia de voltar a Não Me Deixes. Seria um sofrimento. Até que um dia recebeu uma carta de uma amiga, contando que o sertão estava lindo: os paus-brancos floridos, verde por toda parte, um perfume inebriante no ar. Um pouco temerosa, se ergueu e foi. "Lá, realmente, é o meu lugar. Cada volta minha é um regresso. E sinto que lá é o meu permanente. O Rio é o provisório", confessa.

O o

O Cruzeiro

Em 1944, consagrada como cronista, Rachel é convidada a escrever para *O Cruzeiro*, a principal revista ilustrada brasileira da época. Fundada em 10 de novembro de 1928, pelos Diários Associados, de Assis Chateaubriand, *O Cruzeiro* saía semanalmente, com tiragem de 50 mil exemplares e distribuição capaz de cobrir o país, de Belém a Porto Alegre.

Com o objetivo de firmar, cada vez mais, o seu papel no desenvolvimento da imprensa no país, no final dos anos 1930, Chateaubriand já tinha incorporado aos Diários Associados o *Correio do Ceará*, a *Gazeta de Alagoas*, o *Estado da Bahia*, ampliando a rede para algumas cidades do interior dos estados.

A revista *O Cruzeiro* era seu xodó. Decidido a ter o que havia de mais moderno no mercado, mandou vir dos Estados Unidos uma máquina de impressão rotativa, a Hoe, ainda mais avançada que a Multicolor adquirida anteriormente. A Hoe era capaz de imprimir, em poucas horas, 300 mil exemplares de um caderno de oito páginas inteiramente em quatro cores, com alta qualidade.

Na década de 1940, *O Cruzeiro* já se tornara a revista mais lida do país. Chateaubriand, no entanto, sempre almejava mais. Em 1942, depois de receber algumas críticas do fotógrafo francês Jean Manzon, resolve contratá-lo. Além de criticar o papel que usavam para a impressão, Manzon lhe trouxe propostas inovadoras, seguindo os moldes do que vinha sendo feito na revista francesa *Paris-Match*. A principal dessas propostas era a adoção do conceito de fotojornalismo, sucesso na França. No fotojornalismo, se estabelece uma parceria entre repórter e fotógrafo, que trabalham juntos na concepção das reportagens. Chateaubriand gostou da ideia e escolheu o jornalista David Nasser para trabalhar com Jean Manzon. A primeira reportagem que fizeram, sobre a Amazônia, foi um sucesso. A revista logo se esgotou, exemplares chegaram a ser disputados no câmbio negro. Segundo Antonio Callado, "aquela reportagem significou, no sentido cabal do termo, a descoberta do índio brasileiro". A partir desse número, estabeleceu-se a cumplicidade entre os leitores e a revista. A chegada de cada novo número às bancas era ansiosamente esperada.

Paralelamente ao investimento em alta tecnologia, Chateaubriand se preocupava com a qualidade do conteúdo. A nata do jornalismo brasileiro marcou presença em *O Cruzeiro*. Além de grandes repórteres, a revista reunia também nomes importantes da literatura, como Nelson Rodrigues, Millôr Fernandes, Gilberto Freyre, José Lins do Rego, Lúcio Cardoso.

Semanalmente, não só publicava contos de autores consagrados, como Mário de Andrade, Jorge Amado, Erico Verissimo, Augusto Frederico Schmidt, como também abria espaço para os estreantes.

O convite a Rachel de Queiroz viria enriquecer esse universo. Chamada na sala do então diretor, Leão Gondim, primo de Chateaubriand, recebeu a proposta de ocupar a primeira página, onde saíam habitualmente algumas colaborações de amigos de Chatô. Rachel o ouviu com atenção e retrucou dizendo que gostaria de ficar com a última página. Leão achou uma loucura colocar uma colaboradora do seu nível no final da revista. Ela insistiu:

> Argumentei que o que faz a página é a matéria nela impressa. Se a minha colaboração interessasse, o leitor encontraria a última página com a mesma facilidade com que encontrava a primeira. Além do mais — creio que foi isso que o convenceu —, uma crônica assinada, na última página, iria valorizar a capa de trás em matéria de publicidade.
>
> (*Tantos anos*, p. 203)

Convencido, Leão bateu o martelo e intitularam a seção "A última página". Iniciou-se, assim, um "casamento" entre Rachel de Queiroz e *O Cruzeiro*, que durou trinta anos, até o término da revista, em 1975.

Já na primeira crônica, no diálogo íntimo com o leitor, o convite para a cúmplice parceria:

Tanto neste nosso jogo de ler e escrever, leitor amigo, como em qualquer outro jogo, o melhor é sempre obedecer às regras. Comecemos portanto obedecendo às da cortesia, que são as primeiras, e nos apresentemos um ao outro. Imagine que pretendendo ser permanente a página que hoje se inaugura, nem eu nem você — os responsáveis por ela — nos conhecemos direito. É que os diretores de revista, quando organizam as suas seções, fazem como os chefes de casa real arrumando os casamentos dinásticos: tratam noivado e celebram matrimônio à revelia dos interessados, que só se vão defrontar cara a cara na hora decisiva do "enfim sós".

Cá estamos também os dois no nosso "enfim sós" — e ambos, como é natural, meio desajeitados, meio carecidos de assunto. Comecemos pois a falar de você, que é tema mais interessante do que eu. Confesso-lhe, leitor, que diante da entidade coletiva que você é, o meu primeiro sentimento foi de susto — sim, susto ante as suas proporções quase imensuráveis. Disseram-me que o leitor de *O Cruzeiro* representa, pelo barato, mais de 100 mil leitores, uma vez que a revista põe semanalmente na rua a bagatela de 100 mil exemplares.

Sinto muito, mas francamente lhe devo declarar que não estou de modo nenhum habituada a auditórios de 100 mil. Até hoje tenho sido apenas uma autora de romances de modesta tiragem; é verdade que venho há anos frequentando a minha página de jornal; mas você sabe o que é jornal: metade do público que o compra só lê os telegramas e as notícias de crimes, e a outra lê rigorosamente os anúncios. O recheio literário fica em geral piedosamente inédito. E agora, de repente, me atiram pelo Brasil afora em número de 100.000! Não se admire portanto se eu me sinto por ora meio "gôche".

Sua habilidade com o texto conquistou rapidamente os leitores. Folhear a revista, com suas boas reportagens e belas fotos, tornou-se um prazer ainda maior, já que, ao final, estava à espera o encontro com a escrita de Rachel.

Ao iniciar sua carreira na revista, o Brasil vivia um período inédito: a participação na Segunda Guerra Mundial. Por conta da aliança com o governo norte-americano na construção da siderúrgica de Volta Redonda, o presidente Getúlio Vargas sentiu-se na obrigação de enviar soldados brasileiros para lutar na Europa, como aliados dos americanos. A imprensa cumpria o papel de contribuir com o máximo de informação sobre os acontecimentos. Aos cronistas, cabia alimentar os leitores com visões mais analíticas.

Com suas posições políticas definidas desde muito cedo, Rachel não se intimidou em usar "A última página" para expor suas opiniões sobre as posturas do governo brasileiro. Quando a guerra, enfim, acabou, ela registrou o momento com a crônica "Chegou a paz".

> Afinal chegou a paz — porém ministrada a gotas, devagarinho, como notícia de bilhete premiado a um doente do coração. Dia a dia nos contavam um pouco, desmentiam, tornavam a contar — afinal, quando deram a confirmação, já nenhum rompante

emotivo nos abalava; o discurso de Churchill foi apenas um momento solene, religiosamente recebido, mas sem surpresa nem gritos.

(*A donzela e a moura torta*, p. 158)

Se a crônica permite ao escritor se posicionar diante dos fatos históricos, ela exige — para que o pacto com o leitor seja mantido — uma escrita simples, um texto sintético. Rachel procurava alcançar esses objetivos com muito trabalho. Reescrevia seus textos inúmeras vezes, em busca de uma "complexa naturalidade", como o crítico e tradutor Paulo Rónai qualificou seu estilo.

Heloisa Buarque de Hollanda também assinala a importância da crônica na produção de Rachel de Queiroz:

> Dentro de sua atividade regular na imprensa, foi na crônica que Rachel de Queiroz concentrou a maior parte de sua colaboração. Nesse gênero — entre o jornalismo e a literatura — ela registrou suas lembranças, opiniões, afetos, indignações e também experimentou os limites de sua escrita.
>
> (*Coleção Melhores Crônicas*, p. 8)

As crônicas de Rachel são fruto da diversidade de suas vivências, como sua experiência no sertão, em círculos literários, na política. (...) Por outro lado, a autoridade e amplitude de suas crônicas advêm, sem dúvida, da posição de liberdade que conseguiu como escritora consagrada e como mulher independente, dona de sua pena e de seu destino.

(*Coleção Melhores Crônicas*, p. 9)

Em 1948, publica pela José Olympio sua primeira antologia de crônicas, *A donzela e a moura morta*, reunindo 46 textos, produzidos entre 1943 e 1945. Entre eles, merecem destaque "Vozes D'África", "Retrato de um brasileiro", "O Padre Cícero Romão Batista" e "Guaramiranga". Nesse último, cria um saboroso diálogo com o então presidente José Linhares, cearense como ela, sobre os encantos da serra onde ambos passaram a infância.

A temática de suas crônicas era bem variada. Em todas, percebe-se a intenção de chegar o mais próximo possível do leitor, num texto fluido, que o estimulasse a refletir sobre fatos da atualidade, sobre a situação político-social do país. Ela não se contenta em expor sua opinião; seu objetivo maior é estimular o senso crítico do leitor, oferecendo-lhe sua grande bagagem de conhecimentos sobre história e política. É o que se percebe nesta crônica, publicada em *O Cruzeiro*, em 12 de setembro de 1959:

> Até a ditadura ainda havia certo pudor. Talvez porque ainda restassem vivos muitos republicanos da cepa de d. Elvira. Com o Estado Novo, todo mundo amordaçado, sem ninguém para estrilar, o hábito da regalia se universalizou. Os homens públicos deixaram de separar o que era do Estado e o que era deles, ou antes, o uso e abuso dos bens públicos passaram a ser privilégio dos cargos e, por extensão natural, da parentela dos cargos. [...]
>
> Quando se funda uma nação, o povo promete obedecer aos seus chefes escolhidos e pagar uma

percentagem determinada sobre tudo que produzir para o sustento da indispensável máquina de direção e defesa nacional. Os líderes, por sua vez, juram não ser mais que fiéis servidores do povo que os emprega. Mas parece que juram à falsa fé. Porque mal se apanham com a máquina nas mãos, esquecem de quem é o dono e de quem é apenas o gerente. Transferem para a sua pessoa a grandeza que só era do cargo. Querem palácios condignos, carruagens condignas, tratamento condigno, privilégios condignos. Aí, a palavra que eles mais apreciam é essa — condigno! E nessa preocupação de se regalarem a si, acabam esquecendo para que subiram tão alto, e se convencem de que o povo existe apenas para sustentar o Governo, e não o Governo para servir o povo. É a velha história da criatura que devora o criador. E a tal ponto chega a confusão de valores que, de consciência limpa e coração aberto, montados no dinheiro do povo, gastando a mãos abertas os impostos que o povo paga, querem convencer o povo, através de veículos, autofalantes, propaganda impressa que o povo custeia, que são excelentes, honestos e indispensáveis e merecem todas as consagrações!

Além dos textos reflexivos, Rachel também passeia o olhar pelo cotidiano e chega a transformar um fato trágico em quase poesia. É o que se percebe em "O caso dos bem-te-vis", crônica de 1971:

> Era um casal de bem-te-vis apaixonados. Voavam e pousavam, naquela primeira fase do amor de passarinho; namoro de asa e bico, entre o céu claro e as

copas das árvores, ai, tão parecido com namoro de gente — com a diferença que gente não pode voar. [...]

[...] Esses dois voejavam e curtiam o amor junto à linha-tronco abastecedora da rede aérea da Central do Brasil, a qual serve os trens com 44 mil volts. [...]

Jamais, na história dos homens e dos bichos, teve um beijo tão tremendas consequências. Porque os inocentes passarinhos, cada um pousado no seu fio condutor de 44 mil volts, naquela rápida carícia de bico a bico, criaram um curto-circuito. [...]

[...] Durante quatro horas, ficou paralisada toda a rede de trens elétricos da Central do Brasil.

Por um beijo de passarinho, meio milhão de pessoas — que é esse o número de usuários dos trens da Central no período — ficaram durante meio dia sem poder chegar ao trabalho: só o beijo imortal trocado por Helena e o pastor Páris, que desencadeou o lançamento de mil navios e causou a guerra de Troia, pode lhe ser comparado.

E é por fatos assim que a gente verifica a fragilidade da chamada civilização.

(em *O homem e o tempo*, p. 128-129)

Passado o período traumático da Segunda Guerra Mundial, houve uma febre de se ir para a Europa. Os brasileiros que se aventuravam voltavam encantados. Comentavam o que já havia sido restaurado, falavam dos belíssimos castelos e construções que conseguiram se manter intactos. Os olhos curiosos de Rachel brilhavam com os relatos. Em uma de suas crônicas para *O Cruzeiro*, parodiando um verso de Tomás Ribeiro que diz "Eu nunca vi Lisboa e tenho pena", ela escreve: "Eu nunca vi Paris e tenho pena." Raul Fernandes, ministro do Exterior e grande amigo da escritora, leu a crônica e mandou chamá-la em seu gabinete. Ele comunicou-lhe que criaria uma comissão para ela e Oyama que lhes possibilitasse a viagem. Rachel não lhe deu muito crédito. Governava então o general Dutra, a quem ela sempre combatera por ser "a alma danada da ditadura getulista", que garantia a permanência do Estado Novo. E ela respondeu: "Dr. Raul, comissão deste governo?..." O ministro, empenhado em ajudá-la a conhecer o Velho Mundo, prontificou-se a providenciar os passaportes, cartas de recomendação e passagens com a Panair. Eles teriam de conseguir o dinheiro para os gastos durante a viagem, e isso era um problema. Na época, o que ela e Oyama tinham de economias não era suficiente. A essa altura, sua vontade de ir à Europa já se espalhara e chegou aos ouvidos de Leão Gondim, o diretor dos Diários Associados, que a contratara. Ele chamou-a em seu escritório e apresentou a proposta: "Eu soube que você vai à Europa. Por que não faz agora, para aproveitar, o romance-folhetim que estou lhe pedindo há não sei quanto tempo? Basta que deixe dois capítulos prontos, que eu publico nas vésperas de você chegar."

Rachel aceitou o convite e recebeu em adiantamento 50 contos pelo folhetim inteiro. Nascia, assim, *O galo de ouro*, publicado em quarenta edições de *O Cruzeiro*, e lançado em 1985 pela José Olympio.

Graças a esse galo verdadeiramente de ouro, Rachel, com 39 anos, e Oyama, com 38, fizeram a primeira viagem à Europa. Partiram em julho, seguindo direto para Paris, depois para o Sul da França. Em Dijon, uma experiência inusitada. Instalaram-se no Hôtel de la Coche, onde perceberam um encanamento pelos quartos. Para sua surpresa, dele vinha o puro vinho de Borgonha. Oyama, maravilhado, não queria sair do quarto. Foram de trem até Gênova e de lá seguiram para Roma e Florença. Em Roma, visitaram o Vaticano numa quinta-feira, dia de ingressos mais baratos, a multidão tornando o calor do verão insuportável. Em plena Capela Sistina, Rachel sentiu-se mal e desmaiou. Acordou nos braços de um dos belos guardas suíços que faziam a vigilância do local. Em *Tantos anos*, Rachel conta que Dom Helder Câmara tinha a esperança de que ela se convertesse ao chegar a Roma. No entanto, ela confessa:

> [...] nunca estive tão longe de Deus quanto em Roma. Porque lá, aquela massa de riquezas, aquelas igrejas suntuosíssimas, o peso monumental da Igreja de São Pedro, afastam a gente de qualquer ideia de espiritualidade (p. 161-162).

Nessa viagem, conheceram também a Suíça, mas se recusaram a entrar na Alemanha, pois ainda estavam com muita raiva do país.

Após a Segunda Guerra, Rachel se solidarizou com o sofrimento dos judeus. Escreveu algumas crônicas a respeito, obtendo reconhecimento por parte do povo judaico, a ponto de, em 1985, ser convidada para a inauguração da creche que levava seu nome — Casa de Rachel de Queiroz — em Ramat-Gau, em Tel Aviv, Israel.

Ao longo da vida, Rachel de Queiroz escreveu mais de duas mil crônicas. Além de *A donzela e a moura torta*, publicou: *100 crônicas escolhidas* (1958), *O brasileiro perplexo* (1964), *Mapinguari* (1964), *O caçador de tatu* (1967), *As meninas e outras crônicas* (1980) e *As terras ásperas* (1993). Depois de extinta a revista *O Cruzeiro*, ela continuou escrevendo para os jornais *O Dia*, *Última Hora*, *O Povo*, *Jornal do Commercio* e *O Estado de S. Paulo*, para o qual colaborou até o fim da sua vida.

P p

Por que sou vascaína?

> Era sábado, no dia seguinte me levaram para assistir a um jogo. Vasco e Fluminense? Acho que sim. Meu tio, vascaíno, me explicou que o Vasco era uma das mais puras expressões do Rio — o português-carioca, aqui nascido ou aclimado, nesta cidade que eles fundaram e que, já antes de d. João VI, amavam apaixonadamente. Foi um jogo difícil, mas o Vasco venceu. Terá sido aquela vitória suada que me conquistou? Ou a celebração, a gente num carro de capota arriada (ainda havia disso) atravessando a Avenida, cantando e soltando vivas?
>
> (www.casaca.com.br/home/?s=rachel+de+queiroz)

Quando Rachel era menina, a prática do futebol estava se iniciando no Brasil. Lembra-se que, nos jornais, utilizava-se a grafia em inglês, *football*, e era considerado um esporte de elite. Na crônica "O futebol e o rei" (1998), ela fala de uma canção, ou melhor, de uma "cançoneta", por nome *football*, que dizia assim: "Este esporte está na moda/ é de gosto internacional, os rapazes da alta roda/ não conhecem outro igual." Em suas três primeiras décadas, o futebol no Brasil era elitista, sendo praticado apenas pelos doutores, pelos herdeiros de grandes fortunas, pelos moços alinhados. Foi o Vasco da Gama, time escolhido pela escritora, que mais contribuiu para que o futebol no Brasil se deselitizasse.

No ano de 1923, em sua estreia na primeira divisão, quando venceu o campeonato carioca, não havia um só jogador no time do Vasco que pudesse ser considerado de "boa família", sendo a grande maioria de negros. Instalou-se na época uma comissão de sindicância para apurar se seus jogadores eram financeiramente "bem-situados". Fluminense, Botafogo, Flamengo e América fundaram uma Liga e exigiram que o time de camisas pretas com a cruz de Malta no peito dispensasse 12 de seus jogadores — que eram negros, mulatos e pobres — e construísse um estádio, para ser aceito na nova entidade. O clube não se intimidou. Decidiu manter seus atletas e investiu na construção do novo estádio, obra que durou quarenta meses. Em 21 de abril de 1927, inaugurou-o na colina de São Januário, no bairro de São Cristóvão. Com capacidade para 40 mil torcedores, o estádio era maior que qualquer outro.

Quanto aos jogadores negros, eles eram alertados a não derrubar, empurrar ou mesmo esbarrar nos jogadores brancos, sob pena de sofrer severa punição. Essa advertência obrigava-os a jogar com mais ginga, criando novos espaços, tornando-se, assim, mestres do drible. Com o passar do tempo, os clubes foram seguindo o exemplo do Vasco e reforçaram suas equipes com a versatilidade, a improvisação e o talento do homem do povo. A partir de então, o futebol brasileiro conquistou uma linguagem única, reconhecida mundialmente.

Atenta às questões culturais, o vínculo de Rachel de Queiroz com o time do Vasco e com a sua torcida foi reforçado pela sua história peculiar.

> O Vasco simboliza a saudável mistura de portugueses e brasileiros. Afinal, fomos portugueses durante 322 anos; de Portugal recebemos a língua formosa que falamos, na qual fizeram sua carreira ilustre os nossos clássicos, poetas e prosadores. E o Club de Regatas Vasco da Gama é bem o símbolo dessa fraterna união.
>
> E por mais que Zé Lins do Rego, o amigo fraterno, fizesse tudo para me arrastar ao Flamengo — até pela imprensa, no *Jornal dos Sports*! Eu ficava inabalável.

Era impossível ficar indiferente ao crescimento do esporte no Brasil. A ala masculina, principalmente, discutia os jogos com paixão. José Lins do Rego, grande amigo da escritora, torcia pelo Flamengo de maneira quase que doentia. Apaixonado por futebol, ele pertenceu à diretoria do Clube de Regatas do Flamengo e chegou a chefiar a Delegação Brasileira de Futebol no Campeonato Sul-americano de 1953.

Na semana em que havia jogos, os encontros na livraria José Olympio eram inteiramente voltados para discussões sobre erros e acertos dos jogadores. Amando Fontes era flamenguista, Carlos Drummond de Andrade, vascaíno como Rachel, e J.O. — torcedor do Fluminense — apreciava os debates de longe, pois sua verdadeira paixão eram as corridas de cavalos.

Rachel acompanhava seu time de perto: "Quando a concentração era na praia do Barão, na Ilha do Governador, a gente se visitava. E nas vezes em que o time chegava, Ademir, Barbosa, os outros, era a glória do quarteirão!"

* * *

A construção do Maracanã, em 1950, tornou a cidade do Rio de Janeiro a "capital nacional do futebol". Durante décadas, quando times como Flamengo, Fluminense, Vasco e Botafogo se confrontavam no campo do Maracanã, a vida da cidade se modificava. Jogos como o Fla-Flu, Botafogo e Vasco eram chamados de clássicos da rodada.

Nessa época, não havia transmissão pela televisão, e Rachel, contaminada pelo clima festivo, comparecia aos jogos do Vasco com entusiasmo.

> Lembro até de um episódio dessa época — foi na década de 1950? —, os anais do clube dirão. A gente já ganhara o campeonato, mas teve um jogo de arremate; era com o Olaria, e lá fomos nós, sacramentar o título na tribuna de honra. Mas não sei se os nossos rapazes tinham comemorado

demais na antecipação segura, sei que a nossa situação foi ficando incômoda: o Olaria estava um brilho só. Não é que o título perigasse, mas podia ser um vexame. E o mais aflito era o presidente do Olaria, o hospedeiro, suando no seu terno branco, constrangidíssimo. A sorte é que de repente mudou, e salvou-se a honra. Todos respiramos — mas o susto foi grande.

(www.casaca.com.br/home/?s=rachel+de+queiroz)

E veio a Copa de 1958 atiçar ainda mais os ânimos. Havia o brilho de Garrincha, e havia Didi, apelidado Mister Football pela imprensa europeia, e Vavá, jogador do Vasco, o Leão da Copa. Para completar o clima de festa, estreava um jovem talento, de apenas 17 anos. Seu nome, Pelé. Após a sucessão emocionante de jogos, o Brasil confirmou-se campeão. O gesto de Bellini — jogador do Vasco e capitão da seleção — levantando a taça Jules Rimet consagrou o futebol brasileiro, igualando-o ao de outras nações campeãs. Abriam-se, assim, os caminhos para que mais um talento do país, em sua mistura de raças, se expressasse. A alegria tomou conta do povo que se orgulhava como nunca de ser brasileiro.

Contagiados por esse clima de festa, os grandes cronistas da época dedicaram alguns artigos ao futebol. Nelson Rodrigues, Fluminense ardoroso, cujo irmão era cronista esportivo, defendia em suas crônicas que o futebol era um meio para que o país se orgulhasse de ser um caldeirão de raças. Em 1949, Rachel de Queiroz apresentava uma visão semelhante:

Muitos caminhos, e os mais inesperados, podem levar à genuína obra de arte.

O futebol, esporte nacional por excelência, é indiscutivelmente um desses caminhos.

(http://artes.com/sys/artista.php?op=view&artid=18&npage=5)

Atenta aos diversos sinais que moldavam a vida do povo brasileiro de sua época, Rachel manteve uma relação de afeto com o futebol e especialmente com o Vasco da Gama. Em uma de suas crônicas, sacramenta esse relacionamento:

> Na noite de festa em que me deram a carteirinha de sócio honorário, escusei-me de fazer discurso, ao recebê-la, mas fiz uma promessa: "Juro que jamais a rasgarei em momentos de desespero!" A promessa foi cumprida; e ainda guardo a minha carteirinha, linda, entre os meus documentos mais preciosos.
> Viva o Vasco!
>
> (www.casaca.com.br/home/?s=rachel+de+ queiroz)

Q q

Quixadá

Se perguntassem a Rachel de Queiroz que palavra associaria à letra "q", ela responderia, sem pestanejar: Quixadá, o município onde nasceu e foi criada.

Localizado no sertão central do Ceará, Quixadá deve seu nome aos primeiros habitantes da região, os tapuias dos quixaras ou quixadás. Na língua indígena, a palavra significa "Oh! Eu sou o senhor".

Com a colonização portuguesa no século XVII, os índios foram "pacificados". Em 1747, o português José de Barros Ferreira compra uma área de 250 mil-réis, e anos depois manda construir casas, capela, curral, iniciando o processo de formação da cidade.

No entanto, é a partir do século XIX, com a instalação da estrada de ferro que ligava Cariri a Fortaleza e sob a influência da exportação de algodão para a Inglaterra, que se inicia o grande processo de urbanização do município. Em 1889, Quixadá recebe o título de cidade.

Os longos períodos de seca rigorosa, com chuvas apenas entre fevereiro e abril, devido ao clima quente, semiárido, favorecem a paisagem de cactos e a vegetação rasteira. No entanto, o que torna a região excepcional são as excêntricas formações rochosas que irrompem em meio à monotonia da paisagem sertaneja. Os monólitos nos mais diversos formatos, como a Pedra da Galinha Choca, antes chamada de Bico de Arara, fizeram com que a região ficasse conhecida como "curral de pedra".

A paisagem monocórdia, o horizonte sépia e cinza e, de repente, o brilho do sol inventa faíscas de arco-íris ao bater nas pedras de Quixadá. Tocada pela beleza original do lugar, ligada à cidade pelos laços do afeto, Rachel lutou até conseguir, em 1998, que a área de 300 hectares de sua fazenda fosse considerada patrimônio natural, recebendo o título de Reserva Particular do Patrimônio Natural Fazenda Não Me Deixes, pela Portaria nº 148/1998 do Ibama. A partir dessa vitória, um decreto de 2002 reconheceu o Monumento Natural dos Monólitos de Quixadá.

Em 2003, uma nova conquista para a cidade. Na praça Chalé de Pedra foi inaugurado o Centro Cultural Rachel de Queiroz, instituição pública subordinada à prefeitura do município. Com dois pavimentos, contando com um teatro e um anfiteatro, o centro cultural oferece oficinas de música, teatro, artes plásticas, especialmente para crianças e adolescentes. É também sede do Núcleo de Arte Educação e Cultura de Quixadá.

R r

Revolução de 1964

"Para falar na Revolução de 1964, a gente tem que começar por duas figuras: Getúlio e Castelo Branco", observa Rachel em *Tantos anos* (p. 214).

Para a geração de Rachel, Getúlio era o responsável por todos os males políticos enfrentados pelo país. Sua atuação no movimento de 1930, na revolução paulista de 1932, a repressão ao *putsch* de 1935, o golpe de 1937, a decretação do Estado Novo legaram-lhe a imagem de totalitarismo. Ele simbolizava o fascismo, a aliança com o Eixo. Governando por decretos-leis, na sua gestão, os estados voltaram a ser governados por interventores. A censura imperava, havia um rígido controle dos sindicatos operários e, o mais alarmante, a polícia prendia arbitrariamente quem quer que fosse. O rádio, o teatro, o cinema e a música popular estavam sob o controle do DIP — Departamento de Imprensa e Propaganda.

Filha de pais liberais, que admiravam o pensamento de Rui Barbosa, trotskista durante o Estado Novo, a aversão de Rachel ao sistema ditatorial implantado por Getúlio culminou quando teve seus romances queimados em praça pública, junto com os de Jorge Amado, José Lins do Rego e Graciliano Ramos, sob a acusação de serem subversivos. Marcada por essa e outras experiências em que foi vítima do autoritarismo, Rachel pautava suas escolhas políticas por uma lógica liberal, comprometida com as questões sociais.

Quando surgiu a candidatura de Jânio Quadros, com denúncias aos gastos governamentais causados pelo processo de industrialização e a construção de Brasília, com críticas acirradas ao aumento da inflação e acusações de corrupção contra o então presidente JK, os liberais de esquerda se engajaram em sua campanha. Jânio passou então a encarnar a moralização dos costumes políticos, sendo eleito com 48% dos votos. Com ele, elegeu-se João Goulart, já que na época era possível a eleição de um vice-presidente de outro partido.

A situação herdada do governo anterior apresentava um quadro crítico, principalmente no setor econômico-financeiro. Jânio começou a governar de forma desconcertante. Incapaz de cumprir com as promessas de campanha, adotou uma política financeira caótica, conseguindo desagradar a todos, inclusive aos que o tinham apoiado. Diante de tantas dificuldades, resolve renunciar em 25 de agosto de 1961. Quando o vice-presidente João Goulart assumiu, uma preocupação logo se alastrou entre todos os liberais do Brasil. A vinda do janguismo, com a política de uma república corporativista, era a ressurreição do golpe de 1937.

A preocupação de Rachel e de outros intelectuais da época era fruto de uma grande desilusão ideológica. A Revolução Cubana, a ruptura dentro da esquerda decorrente, sobretudo, de fatos ocorridos na União Soviética, onde o stalinismo entrou em crise, a partir do relatório Kruschov, aumentaram ainda mais essa desilusão generalizada. No caso de Rachel, ainda havia a experiência de sua passagem pelo Partido Comunista, que a fez se defrontar com a realidade de um partido autoritário e totalitário.

Logo as medidas implantadas pelo governo de Jango, tanto no âmbito político quanto no econômico, começaram a apresentar sinais de declínio. Nos primeiros meses de 1963, a inflação já chegava a 25%, o crescimento do PIB caíra de 5,3% para 1,5%. Politicamente, a esquerda do PTB, com Brizola à frente, mostrava-se insatisfeita com Jango na área das reformas sociais e das relações com o imperialismo.

Diante da ameaça da implantação do comunismo no país, as Forças Armadas se viram inclinadas a formar uma nova doutrina, para garantir o desenvolvimento da nação, a segurança nacional.

Durante o tumultuado período de Jango, a insatisfação com as diretrizes que vinham sendo tomadas fez com que um grupo de intelectuais, liderados por Adonias Filho, se afeiçoasse ao pensamento liberal de alguns generais, como Newton Reis, Herrera, Golbery. Rachel passou a participar das reuniões do grupo, aliando-se a seus princípios. No jornal, ela escrevia sobre a situação e discutia suas ideias com colegas jornalistas, também contrários ao governo de Jango, como David Nasser, Osório Borba, Barreto Leite.

Por essa época, houve uma aproximação entre Rachel e o general Castelo Branco. Foram apresentados por Paulo Sarasate, grande amigo da escritora, e logo descobriram algumas afinidades. Além de ter servido em Fortaleza, o general tinha Alencar no nome, o que os levou a descobrir um laço de parentesco. Ao se referir a Castelo Branco, Rachel recorda-se:

> [...] ele perguntava a nossa opinião, escutava naquele jeito discreto. Me provocava muito, me fazia dizer opiniões radicais sobre uma coisa e outra e comentava: "Imagine que loucura se eu fosse seguir seus conselhos."
>
> (*Tantos anos*, p. 230-231)

Com a crise cada vez mais difícil de ser administrada, Jango apresenta uma série de propostas de reformas de base que acabam por selar o fim de seu governo. A greve dos 700 mil, reunindo trabalhadores de diversas áreas, em outubro de 1963, a Marcha da Família com Deus pela Liberdade, organizada por senhoras católicas ligadas à Igreja conservadora, que levou às ruas cerca de 500 mil pessoas, foram manifestações de oposição a Jango que reforçaram as ideias dos militares.

Em 31 de março de 1964, Rachel e Oyama estavam no sertão, em Não Me Deixes, bem longe dos acontecimentos. Pouco depois, receberam um telegrama que vinha assinado: marechal Humberto de Alencar Castelo Branco, presidente da República. Eleito por votação indireta, Castelo assumiu a Presidência em 15 de abril daquele ano.

★ ★ ★

Para os que viam a situação econômica do país como insustentável e para os que consideravam o modelo populista representado por Jango já esgotado, o movimento de março de 1964 era inevitável.

O grupo castelista se propunha a instituir uma "democracia restringida". Civis liberais, como Adauto Cardoso e Afonso Arinos, estavam entre os que acreditavam nessa proposta. Na economia, os ministros do Planejamento, Roberto Campos, e da fazenda, Otávio Gouveia de Bulhões, escolhidos por Castelo, logo conseguiram reequilibrar as finanças da União. No entanto, no campo político, a instituição dos decretos chamados Atos Institucionais (AI) começou a mudar o feitio do novo governo. Embora o Congresso continuasse atuando, o regime militar, pouco a pouco, foi reforçando os poderes do presidente da República.

Rachel de Queiroz, em 1966, é empossada como membro do Conselho Federal de Cultura, ao lado de Afonso Arinos, Adonias Filho, Octavio de Farias,

Gilberto Freyre, entre outros. Quando Castelo Branco a convidou para representar o Brasil na ONU, ela chegou a vacilar, mas acabou aceitando.

Na fase conspiratória do grupo de Costa e Silva, quando os castelistas não conseguiram fazer o seu sucessor, Rachel já havia se afastado da política. O general Arthur da Costa e Silva tomou posse em março de 1967.

Em 1968, em vários países do mundo observa-se a tentativa de revolucionar os padrões de comportamento da sociedade tradicional. A liberação sexual e os direitos da mulher estavam entre as principais reivindicações. No Brasil, movimentos de mobilização social ganham força, empenhando-se na luta pela democratização. Greves de operários e protestos estudantis, que acabaram levando ao assassinato do estudante Edson Luís pela Polícia Militar, revelavam uma tensão crescente. A reação dos militares foi contundente. Começa a guerrilha urbana, a repressão recrudesce, até que a linha-dura do regime militar institui o AI-5, que dava plenos poderes ao presidente da República. Agora, ele poderia fechar o Congresso, além de cassar mandatos e direitos políticos. "O golpe de direita não é de 64, é de 68", observa Rachel de Queiroz em depoimento (*Cadernos de Literatura Brasileira*, p. 109).

Cabe aqui registrar o efeito que teve a trajetória política de Rachel de Queiroz na recepção de sua obra pela crítica literária. O fato de Rachel ter sido militante do Partido Comunista e depois apoiar a eleição do general Castelo Branco fez com que muitos considerassem sua postura contraditória. Provavelmente, em consequência disso, a partir da década de 1960, a crítica especializada passou a apresentar uma visível resistência a seus escritos. Como bem aponta Heloisa Buarque de Hollanda, na época em que se estabelecia o "cânone acadêmico" dos estudos literários, Rachel, o "fenômeno acadêmico" dos anos 1930-1940, passa a ser subestimada.

De todo modo, como expôs o escritor Autran Dourado numa entrevista para o *Jornal do Brasil*, na década de 1980, deve-se lembrar que:

> Toda obra de arte tem consequências morais e políticas. Mesmo a poesia e a narrativa pura, quando não abastardas pelo compromisso ideológico da pessoa do escritor, têm efeitos políticos, pois operam na linguagem, matéria social e política que mantém os povos e as civilizações.

No caso de Rachel de Queiroz, isso fica bem claro. Independentemente da atuação política, sua narrativa ficcional, inspirada no subdesenvolvimento e na miséria do Nordeste, é uma denúncia da miséria e da desigualdade social da região. Ao criar personagens e construir tramas que exibem a opressão sofrida pelo povo, ela oferece ao leitor um retrato da realidade brasileira de sua época, cabendo a esse leitor fazer suas próprias interpretações.

S s

Sertão

> Uma das imagens mais fortes da minha avó, entre tantas que ela deixou na minha vida, foi a de sertaneja. O seu amor por aquela terra e por aquela gente é tão intenso e tão poderoso que se sente nela a própria essência do sertão.
>
> (*O Não Me Deixes*, quarta capa)

Esse depoimento do sobrinho-neto, Daniel de Queiroz Salek, revela a essência pessoal e literária de Rachel de Queiroz.

Nascer no sertão é coexistir com a paisagem estorricada, com a vastidão de terra seca. O céu aberto, o sol que marca a pele, o ruído do vento nos galhos secos das árvores espigadas no meio do descampado.

O céu sem um fiapo de nuvem, a espera da chuva para alimentar a lavoura e dar pasto ao gado que definha. A ameaça da morte se imprime na paisagem, nos urubus pousados nos galhos sem folhas. Uma metafísica vivida cotidianamente entre o céu e o inferno, como escreveu José de Alencar (1829-1877), nascido, como Rachel, no Ceará. Ele é o autor de

O sertanejo, romance publicado em 1875, em que o personagem-narrador, Severino, é a imagem do povo sofrido, marcado pela fome, sede e miséria.

> A chapada tinha o aspecto desolado e profundamente triste que tomam aquelas regiões no tempo da seca... Pela vasta planura... o sol ardentíssimo coa através do mormaço da terra abrasada uns raios baços que vestem de mortalha lívida e poenta os esqueletos das árvores, enfileirados uns após outros como uma lúgubre procissão de mortos.
>
> (trecho do discurso de Ariano Suassuna, na Academia Brasileira de Letras)

Num Brasil que ainda descobria suas diferenças regionais, a existência desse sertão árido e miserável surpreendeu uma parte da população que desfrutava as vantagens da vida urbana nas cidades do Sul, moldadas pelo modelo europeu. Um sertão que se mostrou pródigo em figuras lendárias, como Padre Cícero, Antônio Conselheiro, Lampião, heróis épicos a clamar as dores de um povo sofrido, desafiando os governantes oficiais. Missionários ou bandidos, todos rezam e caminham em busca da terra da promissão, onde homens e mulheres finalmente encontrarão um lugar para realizar seus sonhos de justiça social. Uma realidade contundente que inspiraria obra como *Os sertões*, de Euclides da Cunha. Uma terra de santos e demônios, como bem mostra *Deus e o diabo na terra do sol*, filme de 1964, do baiano Glauber Rocha.

Na literatura brasileira das primeiras décadas do século XX, destaca-se a presença de autores nascidos no Nordeste. Ariano Suassuna, Graciliano Ramos, José Lins do Rego trazem a linguagem e a temática de sua ficção marcadas pela paisagem sertaneja. A paisagem áspera do Nordeste dará o tom da obra poética de João Cabral de Melo Neto, que passou os dez primeiros anos de vida no engenho da família, no interior de Pernambuco. Se há uma tradição poética eivada de imagens delicadas, versos melodiosos, a poesia de João Cabral, como bem define o crítico José Castello, busca "o seco, o desértico, a pedra, a lâmina cortante, a solidez da cabra" (*O homem sem alma*, p. 118). É o que se percebe em seu poema "Duas bananas & a bananeira", um retrato dessa paisagem áspera:

> Entre a caatinga tolhida e raquítica,
> Entre uma vegetação ruim, de orfanato:
> No mais alto, o mandacaru se edifica
> A torre gigante e de braço levantado;
>
> (em *Poesias completas: 1940-1965*, p. 24)

Seguindo esse viés, Guimarães Rosa realiza na sua obra-prima, *Grande sertão: Veredas*, a expressão máxima do que a ensaísta Dirce Cortes Riedel chamou de "sertão construído na linguagem". O livro é a narração do personagem Riobaldo, jagunço de um bando dos "sertões das gerais", que abrange o sul da Bahia, o norte do estado de Minas Gerais. A linguagem adotada no romance exprime o linguajar do sertanejo, uma fala que excede na sua musicalidade.

A obra e o autor vivem uma relação simbiótica. Guimarães Rosa, diplomata, viajado, homem de falar diversas línguas, declara em entrevista para seu tradutor alemão: "Levo o sertão dentro de mim e o mundo no qual vivo é também o sertão. [...] Para poder ser feiticeiro da palavra, para estudar a alquimia do sangue e do coração humano, é preciso provir do sertão" (*Diálogo com Guimarães Rosa*, p. 49).

* * *

Na obra romanesca de Rachel de Queiroz, sente-se essa "secura" no tratamento linguístico dado aos ambientes e aos personagens. Os diálogos são curtos, as conversas claras, sem dissimulações. Sua estética se preocupa mais com o sensorial do que com a harmonia das formas. Uma linguagem atrelada à coragem do nordestino, a verbalização dos sentimentos dos cantadores repentistas, as histórias contadas pelos jagunços da fazenda do Junco, a mística de um povo que busca no céu a sua sobrevivência física e a sua transcendência.

Em *O Quinze*, seu primeiro romance, a intensidade das palavras ao descrever a paisagem sertaneja explica a surpresa que causou ao meio literário na ocasião do lançamento:

> Em toda a extensão da vista, nem uma outra árvore surgia. Só aquele velho juazeiro, devastado e espinhento, verdejava a copa hospitaleira na desolação cor de cinza da paisagem (p. 43).

> E a morna correnteza que ventava passava silenciosa como um sopro de morte; na terra desolada não havia sequer uma folha seca; e as árvores negras e agressivas eram como arestas de pedra, enristadas contra o céu (p. 70).

Em entrevista para a edição a ela dedicada dos *Cadernos de Literatura Brasileira*, do Instituto Moreira Salles, Rachel reflete sobre a condição do homem nordestino e sua representação na literatura:

> Existe no Nordeste uma memória da seca; ela é, de fato, a presença mais constante.
> [...] Com relação ao homem do Nordeste, eu acho que se romantiza muito o problema, mas é verdade que se ele não for resistente não sobrevive à violência da natureza na região. Mesmo os bons anos, os anos em que dá aquela "chuva de caju" — a chuva para os cajueiros florirem, em outubro/novembro —, mesmo neles a seca está sempre na mente do nordestino.
>
> (*Cadernos de Literatura Brasileira*, p. 23)

Seus três primeiros romances são ambientados no Nordeste. Em *Dôra, Doralina*, a escritora fará a passagem para a vivência urbana criando um livro em duas partes, uma vivida no sertão e a outra no Rio de Janeiro. Mas ao final do romance, a protagonista retorna para sua fazenda no sertão: "No sol do meio-dia um vaqueiro encourado atravessou o pátio, passou por baixo do pé de mulungu, tangendo uma vaca vermelha com o seu bezerrinho."

Em *As três Marias*, também a epopeia vivida por Guta se encerra com uma volta emblemática ao sertão:

> Vou para o sertão, para casa. Já vai querendo ser noite; o trem corre por entre massas confusas que eu não reconheço, onde entrevejo casas, árvores, talvez a sombra dos serrotes gigantescos. [...] O trem penetra no sertão, na noite, na fuga. E eu vou com ele, vou dentro dele, sou parte dele [...] (p. 202).

Em leitura crítica da obra de Rachel, Heloisa Buarque de Hollanda aponta:

> Em todas as situações, onde quer que esteja, seja qual for a história que esteja contando, a perspectiva de Rachel é sempre a de sua ligação visceral com o sertão.
>
> *(Nossos clássicos)*

T t

Tradução, teatro

Tradução

Ao ampliar sua atuação no desenvolvimento da literatura no Brasil, a editora José Olympio passa a se dedicar à publicação de autores estrangeiros. Vera Pereira, mulher do editor, era então a responsável pela escolha dos livros para tradução e dos profissionais capacitados para executar o trabalho.

Estimulada pelo amigo-editor J.O., Rachel de Queiroz abraçou esse caminho como uma forma de aumentar seus ganhos financeiros. O primeiro trabalho que lhe propuseram foi a tradução de vários volumes de *Forsyte Saga*, de John Galsworthy. Apesar de não sentir segurança quanto a seus conhecimentos da língua inglesa, Rachel aceitou o desafio com a coragem que lhe era peculiar.

Entender o sistema interno de uma língua, perceber a estrutura narrativa desenvolvida pelo autor para chegar a um equivalente no texto traduzido requer do profissional sensibilidade e rigor, para que seu estilo não interfira no original.

Traduziu Jane Austen, Dostoievski, Tolstói, Emily Brontë, A. J. Cronin — autores cujo trabalho literário produz sistemas diversos, onde a palavra tem duplo significado tanto no plano semântico quanto no plano sintático e estilístico, o que torna delicado o trabalho do tradutor, exigindo não só o domínio da língua como também o cuidado com a linguagem, com o significado e o sentido do texto.

Na entrevista para os *Cadernos de Literatura Brasileira*, Rachel dá um testemunho original sobre a missão do tradutor:

> Através da tradução o escritor se familiariza com os procedimentos dos autores traduzidos — e pode aprender com eles. Eu me lembro que na época que eu traduzia eu me sentia como se estivesse desmanchando a costura, desmanchando o crochê de certos escritores, descobrindo os pontos, os truques prediletos deles (p. 25).

Sem dúvida, o contato "íntimo" com o trabalho de grandes autores imbuiu Rachel de um aprimoramento ainda maior sobre as diversas possibilidades da palavra e as diversas riquezas atribuídas a personagens construídos sob o viés de outras culturas.

Durante um período, Rachel traduzia um livro após o outro, passando a ter uma retirada mensal da editora. Trabalhava regularmente de oito a dez horas por dia, alternando livros de grandes autores com os de literatura considerada "barata", os best-sellers da época. Quanto a esses, depois de certa prática, passou a traduzi-los com a ajuda de uma secretária: ia ditando a tradução e a moça datilografava.

A impressão que nos dá é que o caminho das letras que a abarcou ainda muito jovem foi sendo moldado para que ela pudesse se aprimorar nas mais diversas vertentes que a língua, a palavra, oferece.

Teatro

Em 1953, Rachel publica *Lampião*, sua primeira peça para o teatro. O texto traz o tema do cangaceirismo, onde tem em Lampião seu representante, figura lendária do imaginário popular do sertão. O cangaceiro é um símbolo contraditório, associado a múltiplas representações, que vão do bandido sanguinário ao bandido social, do justiceiro ao mau-caráter.

Lampião e Maria Bonita são os personagens. São cinco quadros sintéticos onde a escritora teve o cuidado de ser fiel à história oficial, elaborando uma trama que narrasse as questões que abordam a injustiça social dos tempos do coronelismo, a relação do casal nessa empreitada e a violência das paixões humanas.

O formato escolhido por Rachel de Queiroz para narrar a história de Lampião e seu bando se propõe a desenvolver um trabalho de valorização da cultura popular vinculado ao cangaço. No sertão nordestino, a tradição oral deve ser tomada como patrimônio cultural, pois é pela palavra falada e cantada que se transmite, de geração a geração, os valores morais da sociedade, a concepção religiosa do mundo, o relato dos acontecimentos da vida da comunidade.

A construção de diálogos, que na sua obra romanesca já demonstrava sua habilidade, na peça de teatro se revela ainda mais, mostrando a sua familiaridade com o efeito oral da palavra.

> LAMPIÃO — Eu, medo? Medo de quê, mulher?
> MARIA BONITA — Pois eu tenho, meu coração adivinha.
> LAMPIÃO — Mas medo de quê, Maria? Você sabe de alguma coisa que eu não sei?
> MARIA BONITA (*abana a cabeça*) — Não. Tenho medo é dessa carta para o presidente.
> LAMPIÃO — Agora não tem mais presidente. Governo, agora, se chama de interventor.
> MARIA BONITA — Pois é. Mas diz que provocar o governo é atirar pedra na lua. Afinal, eles lá têm soldados que querem, têm até canhão, como no tempo da guerra do Juazeiro, contra meu Padrinho...
> LAMPIÃO — E quem foi que ganhou a guerra do Juazeiro? Me diga! Quem ganhou? Que mal fez o canhão aos jagunços do Padre Cícero? A jagunçada foi que venceu tudo — mataram até o Jota da Penha, que era macaco, mas era homem (p. 49).

Traçar a personagem Maria Bonita não foi difícil, pois ela possui a força e a graça de Conceição, Noemi, Guta, personagens femininas já na época trabalhadas por Rachel em seus romances.

A peça, encenada em 1953, no Theatro Municipal do Rio de Janeiro e no Teatro Leopoldo Fróes, em São Paulo, trouxe o sertão para as grandes cidades. Confirmando o talento de Rachel também como dramaturga, *Lampião* recebeu o prêmio Saci de melhor peça do ano.

* * *

Em 1958, Rachel publica sua segunda peça, *A beata Maria do Egito*. A história baseia-se na vida da religiosa Santa Maria Egipcíaca, que vendeu o próprio corpo para comprar a liberdade. Em meio a todas as histórias de santos que na infância ouvira sua avó contar, escolheu essa para ser recriada e representada no palco.

Composta de três atos e quatro quadros, a peça possui apenas quatro personagens. Como em *Lampião*, Rachel procura registrar e divulgar a memória coletiva do sertão. A historiografia sobre o cangaço mescla misticismo e coronelismo, que constituem a base da estrutura vivida pelo povo do sertão. Maria do Egito, a protagonista, é uma beata jovem e bonita que se entrega a uma causa religiosa no Ceará, em defesa do Padre Cícero, de

Juazeiro. Mais uma vez, a escritora retrata uma mulher corajosa, que não se deixa intimidar nem pelas autoridades, como se percebe no trecho a seguir:

> BEATA — Me chamam a Beata Maria do Egito.
> TENENTE — Desculpe, mas não perguntei o apelido. Quero o seu nome verdadeiro.
> BEATA — Mas eu só tenho esse nome. Fui batizada por Maria do Egito.
> [...]
> TENENTE — Não admira que a senhora, criada no meio desse povo, um belo dia vestisse o hábito de beata, saísse pelo mundo... juntasse gente ao seu redor... E agora tem fama de santa.
> BEATA — Não sou santa. Mas escuto a voz dos santos. Santo, só Deus no céu e meu Padrinho do Juazeiro.
> TENENTE — Mas o que corre por aí é que a senhora faz tantos milagres quanto o Padre. Adivinhou que um homem ia morrer de repente; depois devolveu os olhos a um menino cego de nascença.
> BEATA — Quem cura é Deus. Eu sou a escrava dos pobres (p. 140, 142).

A peça foi encenada no Teatro Serrador, no Rio de Janeiro, e recebeu o prêmio Paula Brito e Roberto Gomes da prefeitura do Distrito Federal.

Com *Lampião* e *A beata Maria do Egito*, Rachel experimenta o prazer de ver seu texto ganhar uma nova roupagem. Os detalhes que compõem a linguagem teatral — figurino, iluminação, cenário, interpretação dos atores — deram vida àquilo que antes só existia no papel. Na crônica de 10 de outubro de 1959, publicada em *O Cruzeiro*, ela fala poeticamente da transformação que leva o texto escrito ao palco:

> Enquanto está no papel a peça é apenas a lagarta, quando muito a crisálida. Só vai criar asas e cores, tomar força de voo e enfrentar a luz, depois que o palco a transforma em borboleta.

U u

Umarizeira, memória do Junco

Umarizeira é o nome da árvore que ficava na beirada do açude da fazenda do Junco, se sustentando através de suas raízes na parede de terra seca. Uma árvore generosa, copa larga, raízes profundas, uma árvore cujas folhas resistem ao intenso sol do Nordeste. Com mais de cem anos, era onde Rachel e sua irmã, Maria Luiza, apelido Isinha, descansavam depois dos banhos e mergulhos no açude.

Ficavam desfrutando da sombra da umarizeira por horas, olhando a paisagem sertaneja e conversando. Rachel contando histórias sobre o passado da família, da fazenda, das avós Miliquinha e Rachel, que Isinha não havia conhecido.

A diferença de dezesseis anos entre as irmãs definiu uma relação calcada no fascínio mútuo, confiança e respeito. Para o nascimento de Isinha, Rachel se dedicara a bordar peças do enxoval e, ao vê-la nascer, uma menina, a única irmã, Rachel se prontificou aos cuidados do bebê como de uma filha. "Das minhas lembranças, a mais distante é com Rachel num vão de porta do Pici, me enfiando pela cabeça um vestido plissado amarelo com fitas no ombro. Eu deveria ter uns 2 ou 3 anos", lembra Isinha.

Para Rachel de Queiroz, durante anos, o açude do Junco fora o referencial do isolamento, da reflexão, da imaginação. Quando passou a ter a companhia de Isinha, o estímulo da fala organizava suas ideias e a sua memória. À sombra da umarizeira, a amizade entre as duas foi se solidificando.

Quando, em 1935, Rachel voltou a morar em Fortaleza para dar apoio a dona Clotilde, cuja dor profunda depois da perda do filho Flávio tirara-lhe a alegria, a sua imagem perante Isinha se tornou ainda mais forte. "A minha irmã era mais do que irmã, era a minha Teté, o complemento de minha mãe", conta Isinha. "E Rachel dizia que ela sentia como se eu fosse irmã de Clotildinha."

* * *

Com a morte de dona Clotilde, em 1953, Rachel assume definitivamente os cuidados da irmã caçula e a leva para morar com ela e Oyama na Ilha do Governador, só saindo de lá para se casar com Namir Salek.

O nascimento de Flávio e Daniel aprofundou ainda mais as raízes criadas entre as irmãs. Rachel e Oyama, que não haviam tido filhos, adotaram os meninos como netos e cumpriram com seriedade esse papel: passeios pelo Rio, os levavam para a fazenda Não Me Deixes, contavam histórias, como convém a um avô e uma avó. Para os meninos, Rachel era a vovó Rachel e Oyama era o *Abi*, apelido dado por Flávio, que, ainda aprendendo as primeiras palavras, dizia: "É o vovô, vamos *abi*?"

A cumplicidade entre as irmãs se estendeu ao campo profissional. Maria Luiza atuou como tradutora na Comissão Mista Brasil–Estados Unidos, foi editora do suplemento literário do *Jornal do Commercio*, trabalhou na editora José Olympio e na TV Educativa.

Com interesses parecidos, a aliança entre as duas gerou frutos: escreveram três livros: *Tantos anos*, um livro de memórias de Rachel, *O Não Me Deixes, suas histórias e sua cozinha* e *O nosso Ceará*. Isinha se tornara a leitora dos escritos da irmã: fazia observações, sugeria mudanças, uma relação de inteira confiança.

O livro de memórias *Tantos anos*, publicado em 1998, foi uma ideia de Isinha, após uma entrevista cedida por Rachel a Ziraldo, realizada na TV Educativa: num determinado momento, ele, vendo Isinha atrás, na penumbra do estúdio, diz: "Maria Luiza, você precisa contar essas histórias! Isso precisa ficar documentado. E tem que ser você, é a sua obrigação!"

Ela levou a sério a sugestão e decidiu enfrentar a oposição da irmã, que, numa das primeiras páginas do livro, diz:

— Você sabe que eu não gosto de memórias. Nunca pretendi escrever memória nenhuma. É um gênero literário — e será literário mesmo? — onde o autor se coloca abertamente como personagem principal e, quer esteja falando bem de si, quer confessando maldades, está em verdade dando largas às pretensões do seu ego — grande figura ou grande vilão (p. 11).

Mas Isinha, com a teimosa persistência de uma personagem de Rachel, não desistiu. Entregou-se ao trabalho exaustivo, de "sangue, suor e lágrimas", como definiu na apresentação do livro.

Essa relação de cumplicidade, respeito, afeto profundo persistiu até o fim da vida de Rachel. No seu último ano, ela ainda escrevia crônicas para o *Estado de S. Paulo*. Aos 92 anos, contava com a ajuda de Isinha, que datilografava os textos que ela ia ditando. Na véspera de sua morte, as irmãs estiveram juntas até as 20 horas. Ao sair da casa de Rachel, Maria Luiza lhe perguntou se estava bem. Ela respondeu: "Estou ótima, só não estou melhor porque não estou em Não Me Deixes."

V v

Vicente e os personagens masculinos

Vicente é o personagem masculino do primeiro romance de Rachel de Queiroz, *O Quinze*:

> Todo o dia a cavalo, trabalhando, alegre e dedicado, Vicente sempre fora assim, amigo do mato, do sertão, de tudo o que era inculto e rude. Sempre o conhecera querendo ser vaqueiro como um caboclo desambicioso, apesar do desgosto que com isso sentia a gente dele (p. 21).

Rapaz criado entre a cidade e a fazenda, escolhera não seguir os estudos, preferindo ficar criando gado a ter de se submeter a uma disciplina ou a um professor.

Ainda sob a influência de seu primo Celino no seu imaginário — o primo por quem Rachel fora apaixonada na juventude —, no livro Vicente será o foco amoroso de sua prima, a personagem Conceição.

Conceição, calada, olhava o primo. Estava mais bonito. Ficava-lhe bem a roupa cáqui; muito vermelho, queimado do sol, os traços afinados pela labuta desesperada, as pernas fortes cruzadas, as mãos pousadas no joelho, falava lentamente com seu modo calmo de gigante manso (p. 81).

Já nesse livro — Rachel ainda tão nova — sentimos a atenção da escritora quanto às análises sobre a figura física dos seus personagens masculinos. No decorrer da narrativa, o leitor vai tendo o primeiro contato, através de Conceição e Vicente, com questões das relações homem/mulher, os abismos existentes entre a natureza feminina e a masculina.

Bonita a passagem onde a personagem percebe as diferenças entre eles:

> Deitada na cama, com a luz apagada, Conceição recordava Vicente e sua visita.
> [...] Foi então que se lembrou que, provavelmente, Vicente nunca lera o Machado... Nem nada do que ela lia.
> Ele dizia sempre que, de livros, só o da nota do gado...
> Num relevo mais forte, tão forte quanto nunca sentira, foi-lhe aparecendo a diferença que havia entre ambos, de gosto, de tendências, de vida.
> O seu pensamento, que até a pouco se dirigia ao primo como a um fim natural e feliz, esbarrou nessa encruzilhada difícil e não soube ir adiante (p. 84-85).

A clareza com que a escritora expõe as diferenças denota a intenção de utilizar a literatura para responder aos questionamentos da natureza humana.

E quando Conceição descobre que Vicente está se "engraçando" com uma caboclinha, vem a revolta de não querer aceitar a tendência masculina de não resistir a um "rabo de saia". E diz para a sua avó:

> Morro e não me acostumo! É lá direito! Olhe, Mãe Inácia, eu podia gostar de uma pessoa como gostasse, mas sabendo duma história assim, não tinha santo que desse jeito! (p. 66).

Ao percorrer a obra romanesca de Rachel, verifica-se a sua preocupação em conhecer os diversos aspectos referentes à natureza masculina. Os perfis masculinos criados por ela não são menos fortes que as mulheres que criou. São homens sedutores, avessos a compromisso, sujeitos às fraquezas masculinas — bebida, mulher e dinheiro —, alguns com uma masculinidade beirando a violência.

Violência essa, por exemplo, encarnada em João Miguel, o protagonista de seu segundo romance, *João Miguel*. A história começa com o crime cometido por ele, um caboclo, numa briga de bar, movido pela cachaça.

> João Miguel sentiu na mão que empunhava a faca a sensação fofa de quem fura um embrulho. O homem, ferido no ventre, caiu de borco, e de sob ele

> um sangue grosso começou a escorrer sem parar, num riacho vermelho e morno, formando peças encarnadas nas anfractuosidades do ladrilho (p. 9).

A partir desse ato impulsivo, o personagem é preso. O enredo do livro se desenvolve na prisão, justamente em cima da questão da sua condição de assassino e de preso, o seu isolamento social, o abandono de sua companheira, a reflexão inevitável quanto à solidão humana.

Em *Caminho de pedras*, são duas as principais figuras masculinas: João Jacques, o marido e pai do filho de Noemi, a protagonista, e Roberto, o seu amante. Nesse romance, a preocupação, além de apresentar as questões relativas à criação do Partido Comunista em Fortaleza, era destacar o homem vivendo na cidade: os encontros nos bares, o trabalho, a volta para a casa e a família, o tédio, a solidão urbana.

Fundamental na temática do romance é a mulher disputada por dois homens. Embora acabe por se decidir pelo amante, Noemi custa a se livrar da culpa pelo que causara a João Jacques, "um homem bonito, novo, de ar intelectual [...] soltando palavras destacadas, dizendo coisas inteligentes com certo esforço" (p. 38). Apesar da beleza e inteligência do marido, é em Roberto — um intelectual socialista — que Noemi encontrará o cúmplice, o parceiro de ideias e anseios. É com ele que decide partilhar a vida.

A partir desse livro, Rachel começa a trabalhar diversos tipos humanos masculinos, misturando a sua vivência no Nordeste com o que captou nas cidades em que morou.

Em *As três Marias*, Guta se envolve com três homens tipicamente "urbanos": Raul, um artista, casado, "um incompreendido", farrista e bêbado, "quase velho, sem beleza, sem outras seduções para mim senão as lindas frases, os pincéis, o halo de arte que vestia e o transfigurava aos meus olhos", que desperta na protagonista a possibilidade de um amor ilegal, só de aventuras; Aluísio, um poeta angustiado, que se apaixona por Guta, mas escolhe a morte como um amparo; e Isaac, médico judeu, "de cabelo vermelho e grandes mãos brancas, voz lenta e grave", por quem Guta se apaixona e quem a faz sentir que "pelo milagre de sua presença, do seu braço em redor dos meus ombros, me restituísse à infância, à alegria livre e nua [...]" (p. 169):

> Via-o sentado, o corpo grande e magro em repouso, curvado indolentemente sobre a mesa. E me parecia belo, inigualável. Como se cria, como se forma essa maravilha de carne e nervos — um homem? A mão que escreve, o torso que se desenha encostado na cadeira, a curva da nuca, a linha vigorosa do queixo, como tudo é perfeito, sereno, cheio de poder e beleza! (p. 173).

A visão da personagem Guta sobre Isaac denota um fascínio pela figura masculina.

Anos depois, Rachel de Queiroz nos traz Laurindo e o Comandante no romance *Dôra, Doralina*. O primeiro, um fazendeiro rude, "a postura do corpo de carne enxuta, um ar de trato e limpeza, o sorriso curto e de repente" (p. 39), e o Comandante, que conheceu na viagem pelo rio São Francisco — era o comandante do navio *J.J. Seabra*.

O Comandante irá integrar a terceira parte do livro. Quando se conhecem no navio, ele é apresentado como um homem elegante e cuidadoso, interessado em Dôra. A conquista vai se dando aos poucos, até envolvê-la completamente, pedindo para que ela abandone a sua profissão de palco: "mulher minha se rebolando lá em cima no palco e tudo quanto é macho embaixo, de boca aberta. Tenha paciência. Pra mim não" (p. 283). E Dôra considera:

> Mas só se eu fosse uma louca e tentasse botar na balança — num prato o Comandante, no outro a Companhia. Corresse tudo de água abaixo, carreira de artista e luz de palco, que é que me valia nada disso em comparação com ele? E nem era sacrifício, era só a escolha entre o maior e o menor, com perdão de Carleto... (p. 285).

O personagem Comandante tem as seguintes características: era chegado à bebida, tentado à cobiça do dinheiro, mas em relação a Dôra era um homem dedicado e fiel. Nesse romance da maturidade, Rachel de Queiroz constrói, através desse personagem masculino, a possibilidade de haver uma relação de companheirismo satisfatória resistindo às diferenças.

* * *

Quando surge o romance *Memorial de Maria Moura*, os personagens masculinos são o retrato do caboclo do final do século XIX. Homens rudes, prontos a servir e a obedecer à dona Moura:

Jardilino: "caboclo novo, campeiro do pouquinho gado que ainda restava no Limoeiro. [...] Jardilino me comia com os olhos. [...] Como toda sinhazinha bem ensinada pela mãe, para nós, caboclo não era homem, era traste de fazenda. [...] Mãe tinha nojo de gente escura. Eu não. Jardilino era escuro mas era limpo, tinha todos os dentes na boca" (p. 29).

Liberato: "aquele homem enxuto de corpo, branco de cara, cabelo crespo, mostrando os dentes sem falha quando se ria" (p. 25). "O Liberato tinha ido à vila, beber e jogar com os parceiros como fazia sempre" (p. 29).

Irineu: um dos narradores do romance, é primo de Maria Moura e quer lhe tomar as terras do Limoeiro, alegando que são dele. Um dos trechos por ele narrados deixa ver traços de sua personalidade: "Difícil mesmo vai ser passar a mão nela. A cabrita é capaz de se defender até a faca. A maneira dela é de mulher que carrega punhal no corpete, ou não seria tão atrevida. Com ela eu preciso tomar chegada por trás, prender os braços dela com toda a força dos meus, deixando a mão livre pra ir alisando os peitinhos, a barriguinha; falando bem baixinho no ouvido, pra ela se acalmar. Mulher não resiste a carinho bem-feito" (p. 55).

Beato Romano: outro dos narradores do romance, é um padre que, obrigado a largar a batina depois que comete um crime, procura abrigo na Casa-Forte de Maria Moura. Personagem muito bem-delineado, irá mostrar seu conflito perante as tentações masculinas: "e quando vi ela estava nos meus braços, ou eu nos seus braços — que sei? Era a vida e era a morte, era o abismo, a perdição. A mulher, o perfume, o corpo macio. A paixão, meu Deus. A paixão. Senti que ia morrer e não me importava de morrer. Devemos ter caído os dois na minha dura cama de padre. Nela morremos juntos, os dois" (p. 157-158).

Duarte: primo com quem Maria Moura passa a contar como companheiro de luta e de cama: "Nunca tinha andado perto de mim nenhum rapaz como aquele — na força do homem, bonito de cara —, alto, forte, calmo, bom de riso" (p. 306).

Cirino: "era filho de família, menino rico, malacostumado. E deve ser mofino, se deixou matarem a moça e fugiu" (p. 347). Mais novo que Maria Moura, atrevido, ele irá conquistá-la até deixá-la completamente apaixonada. Nesse relacionamento, o romance aborda a entrega cega da mulher ao se apaixonar.

Maria Moura, no entanto, rompe a passividade e submissão femininas. Ao descobrir o caráter do personagem, não hesita em eliminá-lo.

Os personagens masculinos criados pela autora ao longo de sua carreira literária expõem com propriedade as diversas facetas atribuídas aos homens na cultura brasileira.

W w

Wilson Martins fala da primeira-dama da República das Letras

O crítico literário Wilson Martins, morto em 2010, aos 88 anos, deixou uma vasta obra entre livros e artigos sobre a literatura brasileira. *História da inteligência brasileira*, com diversos volumes, e a *Crítica literária no Brasil* são essenciais para quem quer conhecer a fundo a história de nossa literatura.

Professor de literatura francesa na Universidade Federal do Paraná, ele lecionou por 26 anos em Nova York, construindo uma bela carreira acadêmica. Mas era na crítica literária jornalística que se sentia mais em casa. Durante 25 anos, foi crítico literário de *O Estado de S. Paulo* e do *Jornal do Brasil*, além de colunista da *Gazeta do Povo* e de *O Globo*.

Considerado um crítico de "linha de frente", que analisa um livro logo que sai do prelo, Martins defendia a tese de que, para apreciar uma obra, era preciso compará-la.

Em sua análise sobre Rachel de Queiroz, publicada nos *Cadernos de Literatura Brasileira*, do Instituto

Moreira Salles, Wilson expõe com a clareza que lhe era peculiar a trajetória da escritora, as idas e vindas de seu trabalho literário. "Da menina prodígio em 1930 com *O Quinze* à eleição acadêmica de 1977 e à consagração de Rachel de Queiroz como primeira-dama da República das Letras."

É um belo texto onde ele comenta o percurso literário da escritora e seu esquecimento por parte de alguns críticos literários, que a apontam apenas de passagem, menosprezando a sua real importância.

De fato, sua dedicação ao jornalismo a fez permanecer um longo tempo sem publicar ficção, o que quase lhe conferiu a posição de ter abandonado o romance em caráter definitivo.

Em sua carreira houve "um hiato ainda maior que o de Guimarães Rosa", aponta Wilson Martins, que, após o lançamento de *Sagarana*, em 1946, reaparece dez anos depois "de forma duplamente inesperada", com *Grande sertão: Veredas*. No caso de Rachel, depois de publicar seu terceiro romance, *Três Marias*, em 1939, só retornará ao gênero em 1975, com *Dôra, Doralina*.

"Na verdade, há diversas 'inflexões' na sua obra romanesca, a primeira delas sendo, justamente, a ruptura representada por *As três Marias*", destaca Wilson Martins.

Nessa análise publicada em artigo para *O Estado de S. Paulo*, em 23 e 29/10/1948, se refere à mudança do seu foco narrativo depois do livro *João Miguel*, quando ainda estava sob o efeito das "ingênuas ideologias da juventude", por fazer parte do Bloco Operário-Camponês. O envolvimento com os ideais comunistas e a sua rápida passagem pelo partido, que se organizava no Brasil no início da década de 1930, perpassam sua escrita, nos seus romances publicados nessa época. *Caminho de pedras*, apesar de ainda ter a preocupação de denunciar "as engrenagens autoritárias e os obscurantismos do Partido Comunista", já revelava uma emancipação intelectual, segundo o crítico. Mas foi com *As três Marias* que Rachel viria apresentar outras preocupações no seu uso da narrativa romanesca.

Como um observador minucioso da produção literária brasileira, Wilson Martins acompanhou a passagem de Rachel pelo jornalismo, quando, segundo ele, ela adquire "a *persona* literária de cronista", mas sem deixar de olhar para a romancista, quase esquecida desde 1939. Observa que Rachel alcançou incomparável popularidade como cronista — "a exemplo de Carlos Drummond de Andrade, que, entre os leitores comuns, ficou devendo grande parte de sua glória como poeta aos escritos de jornal" —, o que a deixou relegada a "julgamentos simplificadores" quanto à sua obra.

Segundo Martins, com o romance *Dôra, Doralina*, ver-se-ia ressurgir a "verdadeira" Rachel de Queiroz, "precursora de uma visão feminista que se antecipava por uns bons trinta anos a concepções posteriormente dogmáticas". E acrescenta:

> O resultado foi o soberbo *Dôra, Doralina*, que, segundo parece, desnorteou a crítica e não foi reconhecido em sua justa medida como livro que se vinha juntar a uma nova idade do romance brasileiro, acrescentando-lhe alguma coisa.

Com seu olhar aguçado, aponta que nesse romance a escritora apresenta uma "ilusão de perspectivas", ao conferir ao personagem Comandante ares de papel principal, quando, na verdade: "Ele é tão passivo quanto Riobaldo em face de Diadorim e Lampião em face de Maria Bonita."

Dezoito anos depois, com o *Memorial de Maria Moura*, em 1992, pode-se dizer que foi confirmada "no sentido genérico" a visão feminista de Rachel de Queiroz na composição romanesca. Segundo Wilson Martins,

> *Memorial de Maria Moura* vai um passo além de *Dôra, Doralina*, aproximando da mulher liberada enquanto mulher, a mulher condutora de homens, no que, bem entendido, invertia as acima aludidas perspectivas masculinas.

Observando a narrativa desse último romance, o crítico afirma em seu artigo a afinidade de *Memorial de Maria Moura* com *Ulisses*, de James Joyce, o autor predileto de Rachel. Lembra ainda que seus trabalhos com tradução a fizeram ter contato com processos narrativos de alta qualidade — de autores como

Dostoiévski, Cronin, Tolstói, Emily Brontë e outros —, o que viria a contribuir para sua sofisticada narrativa.

O estilo de Rachel de Queiroz, enquanto escritora, alcança nos dois últimos livros um ponto de perfeição claramente insuperável. A fluência da frase, e, até, aqui e ali, certa elegância rebuscada, sem excluir alguns lusitanismos, correspondem ao movimento narrativo, que se caracteriza pelas peripécias encadeadas umas às outras. Não há pontos mortos e a alternância dos monólogos interiores consagrados sucessivamente aos diversos protagonistas, embora tornando impróprio o título da obra, supera de longe o primitivismo a que nos havíamos acostumado (e resignado...) nos anos 1930.

(*Cadernos de Literatura Brasileira*, p. 83)

X x

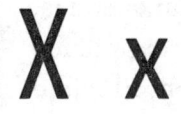

Xerimbabo — Rachel e a literatura infantil

Xerimbabo é o título do livro infantil de Rachel de Queiroz publicado em 2002. Trata-se de uma coletânea de histórias didáticas em linguagem infantil, fruto de um trabalho que vinha realizando junto à professora Nilda Bethlem para um programa educacional do Ministério da Educação e Cultura.

O ingresso de Rachel de Queiroz na literatura infantil aconteceu em 1969, com o livro *O menino mágico*. São as aventuras e peraltices de um menino chamado Daniel e seu melhor amigo, o primo Jorge. Com uma imaginação muito forte e poderes mágicos, Daniel e seu amigo se inscrevem num programa de televisão com a intenção de ganhar um prêmio e acabam arrumando a maior confusão.

Com esse livro, Rachel recebe o prêmio Jabuti de Literatura Infantil, em 1969.

* * *

Escrever para crianças exige uma linguagem específica, é preciso estar familiarizado com o vocabulário infantil e formular uma narrativa que acompanhe o raciocínio e o interesse do leitor dessa faixa etária. Essa aptidão surgiu em Rachel pela proximidade com os sobrinhos-netos. O convívio com Flávio e Daniel naturalmente a fez reviver músicas, antigas fantasias, a vivenciar as aventuras, os desejos infantis. E penetrando nesse universo ela sentiu o impulso de escrever histórias para crianças, desenvolvendo mais um ramo no campo da atividade literária.

Na década de 1970, a escritora desenvolveu um trabalho na área de educação, publicando três volumes da coleção *Meu livro de Brasil*, dedicado à disciplina de educação moral e cívica do ensino fundamental, em coautoria com a professora Nilda Bethlem. *Luís e Maria*, outra contribuição ao livro didático, trata-se de uma cartilha de alfabetização de adultos, escrita em coautoria com a professora Maria Vilas-Boas Sá Rego, publicado pela editora Lisa, de São Paulo, em 1971.

Anos depois, já consagrada pela Academia Brasileira de Letras, Rachel publica, em 1986, *Cafute & Pena-de-Prata*, ilustrado por Ziraldo. É a história de dois pintinhos amigos: Cafute, o mais pobre, e Pena-de-Prata, o "pinto de rico", cercado de cuidados e filho de chocadeira elétrica. Os dois resolvem sair pelo mundo em busca de uma grande aventura. Durante a jornada, enfrentam muitos perigos, encontram os mais diferentes tipos de personagens e inúmeras surpresas.

O pulsar da máquina de escrever não a deixava ficar quieta. Rachel atendia a jornais, à revista *O*

Cruzeiro, escrevendo crônicas em linguagem dirigida ao público adulto, mas envolvida com o papel importante dos livros paradidáticos no desenvolvimento da educação no Brasil. Em 1992, ano que lançou *Memorial de Maria Moura*, surge *Andira*, a história de uma andorinha que, ao nascer, é abandonada pela mãe, passando a ser criada por uma família de morcegos, tendo de aprender a viver à noite e a enxergar no escuro. Uma bela história que fala de amor, amizade, separação, reencontro, ciúme.

* * *

Xerimbabo reúne várias histórias de cunho educativo. Xerimbabo é um termo indígena que significa animal de estimação. Considerando o desejo de toda criança criar um bichinho — seja um gato, ou um cachorro, ou um passarinho —, Rachel desenvolve um texto cujo intuito é chamar a atenção das crianças para a responsabilidade que implica ter um animal dentro do ambiente doméstico, os cuidados inerentes a ele. As outras histórias do livro falam do rio Amazonas, de um acontecimento no estado do Pará e de bichos. Histórias gostosas, em uma linguagem fluente, onde se aprende a observar, a olhar com mais acuidade o mundo.

Em *Memórias de menina*, também de 2002, Rachel recorre a suas reminiscências para contar histórias vividas na infância. O livro se inicia com "Capote", que fala de um palhaço, mágico e equilibrista que morava na fazenda do Junco. Já "Escola antiga" rememora os tempos da tabuada, da sabatina, da palmatória, mostrando uma realidade desconhecida para os estudantes de novos tempos. Na história que se segue, um retrato da vida em família: ao abordar a rotina com as empregadas domésticas e as mães que trabalham fora, ela incentiva a criança a ajudar nas tarefas de casa. "Menina do interior" reflete sobre as diferenças entre a vida da menina rica da cidade e a criança pobre do interior.

> Menina de cidade, passeando de moto, dourando na praia, mal sabe como é dura a sorte de mocinha do interior. Nas famílias mais pobres, então! De pequenina, sete a oito anos, já recebe um irmão menor para criar. E o costume é que ela crie o menino como se fosse mesmo mãe dele, com toda responsabilidade. Fazer mingau, banhar a criança, embalar à noite, cuidar dele em tudo, até nas doenças (p. 11).

Sua penetração no campo da literatura infantil lhe trouxe enorme satisfação. Os bisnetos, Ana Teresa e Pedro, netos de Isinha, logo tiveram contato com os livros escritos pela bisavó Rachel. Começaram ouvindo a história de *O menino mágico*, depois *Cafute & Pena-de-Prata* e os outros, usufruindo de um aprendizado delicado sob o olhar arguto da escritora.

Y y

Yes, nós temos bananas

> Yes, nós temos bananas
> Bananas pra dar e vender
> Banana menina tem vitamina
> Banana engorda e faz crescer.

Gravada originalménte pela Odeon, em 1937, acompanhada pela orquestra da própria gravadora e lançada em discos 78rpm, essa marchinha, de autoria de Braguinha[1] e Alberto Ribeiro,[2] foi criada com base no refrão de um foxtrote norte-americano, de F. Silver e I. Cohn, intitulado *Yes, we have no bananas*, famoso na década de 1920.

Yes, nós temos bananas. Não há brasileiro que não conheça esse verso. De enorme sucesso dentre outras

---

[1]Carlos Alberto Ferreira Braga, conhecido como Braguinha e também por João de Barro (29 de março de 1907 – 24 de dezembro de 2006), foi um compositor brasileiro, famoso pelas suas marchas de carnaval.
[2]Alberto Ribeiro da Vinha (27 de agosto de 1902 – Rio de Janeiro, 10 de novembro de 1971), ou simplesmente Alberto Ribeiro, foi um compositor e cantor brasileiro. Compôs, em parceria com Braguinha, algumas das mais famosas marchas carnavalescas e juninas do Brasil.

marchinhas, viria a embalar o carnaval efervescente da década de 1940.

O carnaval desembarcou no Brasil por volta de 1641, na cidade do Rio de Janeiro, trazido pela tradição portuguesa do entrudo, uma brincadeira que consistia em jogar água suja, ovos e farinha nas pessoas que passavam nas ruas. O entrudo acontecia num período anterior à Quaresma e estava associado à ideia de liberdade. Com o tempo, o carnaval brasileiro foi recebendo influências europeias, mais precisamente da Itália e da França, incorporando as máscaras, o desfile de carruagens enfeitadas e personagens, como a Colombina, o Pierrô e o Rei Momo. Somente no século XX foram introduzidos elementos africanos, com seus instrumentos e alegorias, e começaram a aparecer os primeiros blocos carnavalescos.

A cidade do Rio de Janeiro assumia a festa nas suas mais diversas formas durante esses dias. O eixo avenida Central–Beira-Mar ficava repleto de foliões, carros sem capota e grupos fantasiados.

A primeira música feita exclusivamente para o carnaval foi a marchinha "Ó abre alas", composta para o cordão Rosa de Ouro por Chiquinha Gonzaga, em 1899. Desde então, esse gênero, que rapidamente caiu no gosto popular, passou a animar os carnavais cariocas.

Rachel de Queiroz veio morar no Rio em 1939, numa época em que o carnaval carioca se tornava um marco no calendário anual. Carmem Miranda fazia um sucesso estrondoso no Brasil e no mundo, era uma verdadeira rainha do carnaval, introduzindo fantasias tipicamente tropicais, com turbantes enfeitados de bananas e os saltos plataforma — muito usado até hoje pelas passistas das escolas de samba. Ela seria a grande intérprete das marchinhas, divulgadora desse estilo musical.

Quando Rachel se juntou ao grupo de Pedro Nava — época em que conheceu Oyama —, foi arrastada para as festas de carnaval. O grupo era alegre. Além de Pedro Nava e Oyama, contava com Prudente de Moraes Neto e Rodrigo Mello Franco. Reuniam-se toda sexta-feira, muitas delas na casa de Rachel na Ilha do Governador, e desde dezembro começavam a ensaiar as marchinhas de carnaval. "Prudentinho e eu éramos os *crooners*", conta Rachel.

O carnaval era um grande acontecimento. Bailes ao ar livre, bailes infantis e aqueles realizados em grandes clubes e hotéis. Em 1908, houve o primeiro grande baile do Clube High-Life, que se estendeu até o final da década de 1940. O primeiro grande baile do Theatro Municipal aconteceu em 1932.

A turma de Rachel de Queiroz gostava de frequentar o Clube High-Life, embalados pela orquestra de Vicente Paiva, compositor e maestro, autor da famosa marchinha "Mamãe eu quero". Fantasiavam-se, cantavam e dançavam até de madrugada, jogando confetes e serpentinas, embalados pelo lança-perfume, um tipo de éter perfumado de origem francesa, que mais tarde viria a ser proibido.

Isinha, irmã de Rachel, conta que, certa vez, estava no High-Life o famoso jogador de futebol Perácio, que jogara na Seleção Brasileira na Copa do Mundo de 1938, na França. Ao ver o grupo de Rachel muito animado, resolveu se juntar a eles, cantando e dançando. Certa hora, Oyama vira-se e sugere que fossem tomar um ar na varanda, porque estava muito quente no salão. E escutam a seguinte frase de Perácio: "Não. Eu gosto do quente e do apertado."

Esse era o clima do carnaval que Rachel de Queiroz desfrutara.

Z z

Zé Alexandre, da crônica "O solitário"

Zé Alexandre era o solitário do Junco. Sem amigos, sem amores. Fora soldado na Guerra do Paraguai e, não se sabe por que, resolveu esconder-se no sertão. Cercou um pedaço de terra e cultivava um roçado de milho, mandioca e feijão, além de criar alguns bichos. Vivia sozinho, evitando o contato com o mundo dos seres humanos. Quando o pai de Rachel herdou a fazenda do Junco, não teve coragem de tirá-lo dali.

Vez ou outra, ele ia à casa de Mané Ramos, o guarda-chaves da estação do trem, próxima à fazenda. Chegava sempre à noite e, em meio à escuridão, lançava um grito, para que Mané soubesse que ele ali deixara um saco de feijão e outro de milho, para serem trocados por sal, fumo ou rapadura. Na noite seguinte, Mané Ramos punha as compras no batente da porta e, ao amanhecer, não encontrava mais nada. Era o sinal de que Zé Alexandre passara por ali.

Uma vez, durante um passeio a cavalo, o pai decidiu ir à casa dele. Dr. Daniel gritou seu nome duas vezes, até que ele apareceu. Pela primeira vez

Rachel o via, e a imagem impressionou-a de tal modo que foi recuperada na crônica "O solitário":

> [...] um caboclo hercúleo de grande barba lhe caindo pelo peito; vestia uma calça velha já virada tanga, e tinha na mão um chapéu de palha em farrapos. Quando falou, dando um bom-dia, a voz lhe saiu rouca como a de um bicho que aprendesse a falar.
>
> (*Um alpendre, uma rede, um açude*, p. 143)

A vida de Zé Alexandre era o contato estreito com a terra, com o dia e com a noite. Sua casa era de taipa com teto de palha, e no terreno batido tinha uma porção de cabaças, um pilão velho e uns troncos ocos. Dizem que andava nu e que criava gambá e onça, e que os passarinhos pousavam no seu cabelo e lhe emaranhavam a barba.

Rachel e os primos ficavam intrigados. Alguns trepavam num pé de pau-branco que ficava perto de sua casa e ficavam espiando.

Aos poucos, Rachel foi entendendo quem era Zé Alexandre. Nem deus nem demo, só pássaros e plantas.

Quando escreveu *Dôra, Doralina*, Zé Alexandre alimentou seu imaginário criando o perfil do personagem Delmiro, apelido Lua Nova, o protegido da personagem Dôra. Delmiro também buscara abrigo na fazenda Soledade, onde a personagem vivia com a mãe.

Por mais de trinta anos, Zé Alexandre viveu no Junco, isolado, só indo de mês em mês à casa de Mané

Ramos. Respeitavam tanto as suas idiossincrasias que, quando morreu, ninguém desconfiou. Ficou um tempo sem aparecer com o saco de feijão e de milho, mas pensavam ser mais uma das suas caduquices.

> Só houve alarme quando levantou urubu no cercado. Meu pai mandou ver o que havia — já não havia mais quase nada. Só acharam uns farrapos da tanga, o chapéu velho e uns ossos limpos, espalhados por toda parte.
>
> (*Um alpendre, uma rede, um açude*, p. 19)

A morte de Zé Alexandre impressionou a todos, por ter sido o retrato de sua própria vida. Nem sequer quis ter um enterro, ser homenageado pelos que, em vida, tiveram algum contato, preferindo ir sem deixar nenhuma marca.

Pensar sobre a morte de Zé Alexandre nos remete a pensar sobre a morte de Rachel de Queiroz.

Ao completar 80 anos, sentindo que seu tempo encurtava a cada dia, Rachel escreve em crônica: "embora a gente se iluda, pensando que monitora o próprio destino e comanda as suas ambições, na verdade somos um engenhoso, um resistente robô, que Deus cria e apaga não se sabe por quê. Nem pra quê" (*Fazer 80 anos. As Terras ásperas*. São Paulo: Siciliano, 1993).

Percorrendo sua história de vida, a impressão que temos é a de que, mais do que Deus, Rachel de Queiroz monitorou o seu próprio destino, as suas ambições e até a sua própria morte. No dia 4 de novembro de 2003, na mesma data em que se comemorava a sua eleição para a Academia Brasileira de Letras, Rachel de Queiroz foi encontrada morta, às seis horas da manhã, em sua casa no Leblon, deitada em sua rede. Morreu dormindo, no seu lugar de leitura, de descanso e de preguiça. E na rede ela foi enterrada, não no mausoléu da Academia, como seria de praxe, mas no túmulo ao lado de Oyama, que tanto amou. Assim, da maneira que ela queria.

Cronologia

1910
— Filha de Clotilde Franklin de Queiroz e de Daniel de Queiroz, Rachel nasce em Fortaleza, na casa de sua bisavó Miliquinha, no dia 4 de novembro. Com 45 dias de vida, muda-se para Quixadá.

1917
— A família muda-se para o Rio de Janeiro e, no mesmo ano, para Belém.

1919
— A família muda-se para o Ceará, inicialmente para Guaramiranga.

1925
— Formatura do curso normal.
— Inicia a carreira de jornalista no jornal *O Ceará*.
— Publica o folhetim *A história de um nome*.

1930
— Publica, em Fortaleza, o romance *O Quinze*.

1931
— Recebe o prêmio Fundação Graça Aranha pelo livro *O Quinze*.
— Ajuda a fundar uma sede do Partido Comunista Brasileiro no Ceará.

1932
— Casa-se com o poeta José Auto da Cruz Oliveira, no sítio do Pici.
— É fichada pela polícia de Pernambuco como agitadora política.
— Escreve seu segundo romance, *João Miguel*.

1933
— Nasce, em Fortaleza, a filha Clotilde.

1935
— Depois de uma temporada em São Paulo, muda-se para Maceió, onde convive com diversos autores, que se tornarão grandes amigos, como Graciliano Ramos e José Lins do Rego.

1937
— Publica o romance *Caminho de pedras*, pela editora José Olympio.
— Decretado o Estado Novo, seus livros são queimados.
— Acusada de subversão, a autora é presa por três meses no quartel do corpo de bombeiros.

1939
— Separa-se do marido e muda-se para o Rio de Janeiro.
— Começa a colaborar nos jornais *Correio da Manhã*, *O Jornal* e *Diário da Tarde*.
— Publica o romance *As três Marias*.
— Recebe o prêmio da Sociedade Felipe D'Oliveira.

1940
— Por intermédio do primo Pedro Nava, conhece o médico Oyama de Macedo, com quem passa a viver.

1942
— Publica *Brandão entre o mar e o amor*, romance em parceria com Graciliano Ramos, José Lins do Rego, Jorge Amado e Aníbal Machado.
— Inicia o trabalho como tradutora, publicando *Mansfield*, de Jane Austen.

1944
— Começa a escrever para a revista *O Cruzeiro*.

1945
— Fixa residência na Ilha do Governador.

1948
— Morre seu pai, dr. Daniel.
— Publica *A donzela e a moura torta*, coletânea de crônicas.
— Publica a antologia *Três romances*.

1950
— Em quarenta edições de *O Cruzeiro*, publica o folhetim *O galo de ouro*.

1953
— Ganha o prêmio Saci com a peça *Lampião*, escrita no mesmo ano.

1957
— Recebe o prêmio Machado de Assis, da Academia Brasileira de Letras, pelo conjunto de sua obra.
— Recebe os prêmios Roberto Gomes e o de Teatro do INL pela peça *A beata Maria do Egito*.

1958
— Publica a peça *A beata Maria do Egito*, encenada com Glauce Rocha no papel-título.
— Publica *100 crônicas escolhidas*.

1960
— Publica a antologia *Quatro romances* (*O Quinze*, *João Miguel*, *Caminho de pedras*, *As três Marias*).

1961
— Recusa o convite do presidente Jânio Quadros para ocupar o cargo de ministra da Educação.

1962
— Publica o romance policial *O mistério dos MMM*, em parceria com Viriato Corrêa, Dinah Silveira

de Queiroz, Lúcio Cardoso, Herberto Sales, Jorge Amado, José Condé, Guimarães Rosa, Antonio Callado e Orígenes Lessa.

1964
— Publica os livros de crônicas *O brasileiro perplexo* e *Mapinguari*.

1966-1967
— O presidente Castelo Branco a nomeia delegada do Brasil na XXI Sessão da Assembleia Geral da ONU.
— Passa a integrar o Conselho Federal de Cultura, onde permanece até 1985.
— Publica o livro de crônicas *O caçador de tatu*.

1969
— Recebe o prêmio Jabuti de Literatura Infantil com *O menino mágico*, com ilustrações de Gian Galvi, publicado no mesmo ano.

1973
— Publica a antologia *Seleta*, sob organização de Paulo Rónai.

1975
— Depois de 36 anos sem escrever romances, publica *Dôra, Doralina*.

1976
— Publica o livro *As menininhas e outras crônicas*.

1977
— É eleita para a Academia Brasileira de Letras para ocupar a cadeira número 5.

1978
— *O Quinze* é publicado no Japão e na Alemanha.

1980
— *Dôra, Doralina* é publicado na França.
— Publica o livro de crônicas *O jogador de sinuca e mais historinhas*.
— Recebe o Prêmio Nacional de Literatura de Brasília pelo conjunto de obra.

1981
— *Dôra, Doralina* é filmado no Brasil pelo diretor Perry Sales.
— *As três Marias* estreia como novela da TV Globo.
— Recebe o título de Doutor *Honoris Causa* pela Universidade Federal do Ceará.

1983
— Recebe a medalha Marechal Mascarenhas de Morais.

1985
— Recebe a medalha Rio Branco, do Itamaraty.

1986
— Volta à literatura infantil com *Cafute & Pena-de-Prata*, com ilustrações de Ziraldo.

— Recebe a medalha do Mérito Militar no grau de Grande Comendador.

1989
— A editora José Olympio lança, em cinco volumes, sua *Obra reunida*.
— Recebe a medalha da Inconfidência Mineira, do governo de Minas Gerais.

1992
— Publica *Memorial de Maria Moura*, seu último romance.
— Publica o livro infantil *Andira*, com ilustrações de Pinky Wainer.

1993
— Recebe o prêmio Camões, sendo a primeira mulher a recebê-lo, e o prêmio Juca Pato.
— Publica *As terras ásperas* (crônicas).

1994
— Estreia na TV Globo a minissérie *Maria Moura*, com Glória Pires no papel principal.
— Publica *Nosso Ceará*, em parceria com a irmã, Maria Luiza de Queiroz.

1995
— Publica o livro *Teatro*.

1996
— Ganha o prêmio Moinho Santista pelo conjunto de sua obra.

1997
— O Instituto Moreira Salles lança os *Cadernos de Literatura Brasileira*, sobre Rachel de Queiroz.

1998
— Publica *Tantos anos*, memórias, em parceria com Maria Luiza de Queiroz.

2000
— Publica *O Não Me Deixes — suas histórias e sua cozinha*, em colaboração com Maria Luiza de Queiroz.
— Recebe o título de Doutor *Honoris Causa* da Universidade Estadual do Rio de Janeiro.

2002
— Lança *Falso mar, falso mundo* (crônicas).
— Lança o livro infantil *Xerimbabo*, com ilustrações de Graça Lima.

2003
— É inaugurada a Casa de Cultura Rachel de Queiroz, em Quixadá, Ceará.
— É lançado o livro infantil *Memórias de menina*, com ilustrações de Mariana Massarani.
— Morre aos 92 anos, no Rio de Janeiro, no dia 4 de novembro.

2004
— Com organização e prefácio de Heloisa Buarque de Hollanda, é lançada a coletânea *Rachel de Queiroz*, da *Coleção Melhores Crônicas* (editora Globo).

Referências bibliográficas

Obras consultadas

Aciolli, Socorro. *Rachel de Queiroz*. Fortaleza: Edições Demócrito Rocha, 2003.

Barbosa, Maria de Lourdes Dias Leite. *Protagonistas de Rachel*. Campinas, São Paulo: Pontes, 1999.

Bezerra, Élvia (org.). *Mandacaru — Rachel de Queiroz*. São Paulo: Instituto Moreira Salles, 2010.

Bosi, Alfredo. *História concisa da literatura brasileira*. 3ª ed. São Paulo: Cultrix.

Buarque de Hollanda, Heloisa. *A roupa de Rachel, um estudo sem importância*. Rio de Janeiro: Centro de Estudos Contemporâneos/Escola de Comunicação da UFRJ, 1992, p. 14.

——. *Rachel de Queiroz. Coleção Nossos Clássicos*. Rio de Janeiro: Agir, 2005.

——. *Rachel de Queiroz. Coleção Melhores Crônicas*. Rio de Janeiro: Global, 2004.

Caldeira, Jorge. *Viagem pela História do Brasil*. São Paulo: Companhia das Letras, 1997.

Candido, Antonio. *Formação da literatura brasileira*. Vols. 1 e 2, 6ª ed. Belo Horizonte: Itatiaia, 1981.

——. *A educação pela noite & outros ensaios*. Rio de Janeiro: Ática, 1987.

Castello, José. *O homem sem alma*. Rio de Janeiro: Rocco, 1996.

Cadernos de Literatura Brasileira, nº 4. Rio de Janeiro: Instituto Moreira Salles, 1997.

Da Matta, Roberto. *Carnavais, malandros e heróis*. Rio de Janeiro: Jorge Zahar Editor, 1979.

Garbuglio, J.C.; Bosi, A. e Facioli, V. (orgs.) *Graciliano Ramos*. São Paulo: Ática, 1987.

Lorenz, Günter. *Diálogo com Guimarães Rosa*. Ficção completa em dois volumes/João Guimarães Rosa. Rio de Janeiro: Nova Aguilar, 1994.

Melo Neto, João Cabral de. "Duas bananas & a bananeira", em: *Poesias completas: 1940-1965*. 3ª ed. Rio de Janeiro: José Olympio, 1979, p. 24.

Moraes, Dênis de. *O velho Graça: uma biografia de Graciliano Ramos*. Rio de Janeiro: José Olympio, 1992.

Nery, Hermes Rodrigues. *Rachel, anos 80*. Entrevista para o *site* http://medei.sites.uol.com.br/penazul/geral/entrevis/rachel.htm

Passos, Lucimara dos. *Rachel de Queiroz e a sua produção literária na década de 30*. Curitiba: Universidade Tuiuti do Paraná, 2002.

Pereira, José Mário (org.). *José Olympio: o editor da casa*. Rio de Janeiro: Sextante, 2008.

——. *As terras ásperas*. São Paulo: Siciliano, 1993.

Proust, Marcel. *Em busca do tempo perdido*. Vol. 7. Porto Alegre: Globo, 1995.

Queiroz, Rachel. *Andira*. 7ª ed. Rio de Janeiro: Caramelo, 2004.

——. *Cafute & Pena-de-Prata*. 10ª ed. Rio de Janeiro: Caramelo, 2004.

——. *Caminho de pedras*. 12ª ed. Rio de Janeiro: José Olympio, 2004.

——. *Dôra, Doralina*. 20ª ed. Rio de Janeiro: José Olympio, 2004.

——. *João Miguel*. 15ª ed. Rio de Janeiro: José Olympio, 2004.

——. *Memorial de Maria Moura*. 15ª ed. Rio de Janeiro: José Olympio, 2004.

——. *O galo de ouro*. 5ª ed. Rio de Janeiro: José Olympio, 2004.

——. *O menino mágico*. 25ª ed. Rio de Janeiro: Caramelo, 2004.

——. *As três Marias*. 24ª ed. Rio de Janeiro: José Olympio, 2005.

——. *Lampião/A Beata Maria do Egito*. 5ª ed. Rio de Janeiro: José Olympio, 2005.

——. *Xerimbabo*. 3ª ed. Rio de Janeiro: José Olympio, 2005.

——. *Memórias de menina*. 2ª ed. Rio de Janeiro: José Olympio, 2006.

——. *Um alpendre, uma rede, um açude: 100 crônicas escolhidas*. 5ª ed. Rio de Janeiro: José Olympio, 2006.

——. *O Quinze*. 84ª ed. Rio de Janeiro: José Olympio, 2007.

——. *A casa do Morro Branco*. 2ª ed. Rio de Janeiro: José Olympio, 2008.

——, Queiroz, Maria Luiza de. *Tantos anos*. 4ª ed. Rio de Janeiro: José Olympio, 2010.

Rufino dos Santos, Joel. *Épuras do Social: como podem os intelectuais trabalhar para os pobres*. São Paulo: Global, 2004.

Senna, Homero. *República das Letras: entrevista com 20 grandes escritores brasileiros*. 3ª ed. Rio de Janeiro: Civilização Brasileira, 1996.

Soares, Lucila. *Rua do Ouvidor 110: uma história da livraria José Olympio*. Rio de Janeiro: José Olympio/FBN, 2006.

Tavares, Braulio. *ABC de Ariano Suassuna*. Rio de Janeiro: José Olympio, 2007.

Sites

http://artes.com/sys/artista.php?op=view&artid=18&npage=5

www.casaca.com.br/home/?s=rachel+de+queiroz

www.passeiweb.com/na_ponta_lingua/livros/resumos_comentarios/m/memorial_de_maria_moura

Este livro foi impresso nas oficinas da
Distribuidora Record de Serviços de Imprensa S.A.
Rua Argentina, 171 – Rio de Janeiro, RJ
para a Editora José Olympio Ltda.
em fevereiro de 2012

*

80º aniversário desta Casa de livros, fundada em 29.11.1931